사고력 수학 소마가 개발한 연산학습의 새 기준!!
소마의 **마술같은 원리셈**

소마셈

KB094378

A3
1학년

수학이 즐거워지는 특별한 수학교실 **소마셈**
소마에서 개발한 연산교재 소마셈

2002년 대치소마 개원 이후로 끊임없는 교재 연구와 교구의 개발은 소마의 자랑이자 자부심입니다. 교구, 게임, 토론 등의 다양한 활동식 수업으로 스스로 문제해결능력을 키우고, 아이들이 수학에 대한 흥미와 자신감을 가질 수 있도록 차별성 있는 수업을 해 온 소마에서 연산 학습의 새로운 패러다임을 제시합니다.

연산 교육의 현실

연산 교육의 가장 큰 폐해는 '초등 고학년 때 연산이 빠르지 않으면 고생한다.'는 기존 연산 학습지의 왜곡된 마케팅으로 인해 단순 반복을 통한 기계적 연산을 강조하는 것입니다. 하지만, 기계적 반복을 위주로 하는 연산은 개념과 원리가 빠진 연산 학습으로써 아이들이 수학을 싫어하게 만들 뿐 아니라 사고의 확장을 막는 학습방법입니다.

초등수학 교과과정과 연산

초등교육과정에서는 문자와 기호를 사용하지 않고 말로 풀어서 연산의 개념과 원리를 설명하다가 중등 교육과정부터 문자와 기호를 사용합니다. 교과서를 살펴보면 모든 연산의 도입에 원리가 잘 설명되어 있습니다. 요즘 현실에서는 연산의 원리를 묻는 서술형 문제도 많이 출제되고 있는데 연산은 연습이 우선이라는 인식이 아직도 지배적입니다.

연산 학습은 어떻게?

연산 교육은 별도로 떼어내어 추상적인 숫자나 기호만 가지고 다뤄서는 절대로 안됩니다. 구체물을 가지고 생각하고 이해한 후, 연산 연습을 하는 것이 필요합니다. 또한, 속도보다 정확성을 위주로 학습하여 실수를 극복할 수 있는 좋은 습관을 갖추는 데에 초점을 맞춰야 합니다.

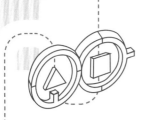

소마셈 연산학습 방법

➕ 10이 넘는 한 자리 덧셈 　구체물을 통한 개념의 이해

덧셈과 뺄셈의 기본은 수를 세는 데에 있습니다. 8+4는 8에서 1씩 4번을 더 센 것이라는 개념이 중요합니다. 10의 보수를 이용한 받아 올림을 생각하면 8+4는 (8+2)+2지만 연산 공부를 시작할 때에는 덧셈의 기본 개념에 충실한 것이 좋습니다. 이 책은 구체물을 통해 개념을 이해할 수 있도록 구체적인 예를 든 연산 문제로 구성하였습니다.

➕ 가로셈 　가로셈을 통한 수에 대한 사고력 기르기

세로셈이 잘못된 방법은 아니지만 연산의 원리는 잊고 받아 올림한 숫자는 어디에 적어야 하는지만을 기억하여 마치 공식처럼 풀게 합니다. 기계적으로 반복하는 연습은 생각없이 연산을 하게 만듭니다. 가로셈을 통해 원리를 생각하고 수를 쪼개고 붙이는 등의 과정에서 키워질 수 있는 수에 대한 사고력도 매우 중요합니다.

➕ 곱셈구구 　곱셈도 개념 이해를 바탕으로

곱셈구구는 암기에만 초점을 맞추면 부작용이 큽니다. 곱셈은 덧셈을 압축한 것이라는 원리를 이해하며 구구단을 외움으로써 연산을 빨리 할 수 있다는 것을 알게 해야 합니다. 곱셈구구를 외우는 것도 중요하지만 곱셈의 의미를 정확하게 아는 것이 더 중요합니다. 4×3을 할 줄 아는 학생이 두 자리 곱하기 한 자리는 안 배워서 45×3을 못 한다고 말하는 일은 없도록 해야 합니다.

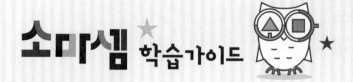
소마셈 학습가이드

K단계 (5, 6, 7세) • 연산을 시작하는 단계

뛰어세기, 거꾸로 뛰어세기를 통해 수의 연속한 성질(linearity)을 이해하고 덧셈, 뺄셈을 공부합니다. 각 권의 호흡은 짧지만 일관성 있는 접근으로 자연스럽게 나선형식 반복학습의 효과가 있도록 하였습니다.

학습대상 : 연산을 시작하는 아이와 한 자리 수 덧셈을 구체물(손가락 등)을 이용하여 해결하는 아이
학습목표 : 수와 연산의 튼튼한 기초 만들기

P단계 (7세, 1학년) • 받아올림이 있는 덧셈, 뺄셈을 배울 준비를 하는 단계

5, 6, 9 뛰어세기를 공부하면서 10을 이용한 더하기, 빼기의 편리함을 알도록 한 후, 가르기와 모으기의 집중학습으로 보수 익히기, 10의 보수를 이용한 덧셈, 뺄셈의 원리를 공부합니다.

학습대상 : 받아올림이 없는 한 자리 수의 덧셈을 할 줄 아는 학생
학습목표 : 받아올림이 있는 연산의 토대 만들기

A단계 (1학년) • 초등학교 1학년 교과과정 연산

받아올림이 있는 한 자리 수의 덧셈, 뺄셈은 연산 전체에 매우 중요한 단계입니다. 원리를 정확하게 알고 A1에서 A4까지 총 4권에서 한 자리 수의 연산을 다양한 과정으로 연습하도록 하였습니다.

학습대상 : 초등학교 1학년 수학교과과정을 공부하는 학생
학습목표 : 10의 보수를 이용한 받아올림이 있는 덧셈, 뺄셈

B단계 (2학년) • 초등학교 2학년 교과과정 연산

두 자리, 세 자리 수의 연산을 다룬 후 곱셈, 나눗셈을 다루는 과정에서 곱셈구구의 암기를 확인하기보다는 곱셈구구를 외우는데 도움이 되고, 곱셈, 나눗셈의 원리를 확장하여 사고할 수 있도록 하는데 초점을 맞추었습니다.

학습대상 : 초등학교 2학년 수학교과과정을 공부하는 학생
학습목표 : 덧셈, 뺄셈의 완성 / 곱셈, 나눗셈의 원리를 정확하게 알고 개념 확장

C단계 (3학년) • 초등학교 3, 4학년 교과과정 연산

B단계까지의 소마셈은 다양한 문제를 통해서 학생들이 즐겁게 연산을 공부하고 원리를 정확하게 알게 하는데 초점을 맞추었다면, C단계는 3학년 과정의 큰 수의 연산과 4학년 과정의 혼합 계산, 괄호를 사용한 식 등, 필수 연산의 연습을 충실히 할 수 있도록 하였습니다.

학습대상 : 초등학교 3, 4학년 수학교과과정을 공부하는 학생
학습목표 : 큰 수의 곱셈과 나눗셈, 혼합 계산

D단계 (4학년) • 초등학교 4, 5학년 교과과정 연산

분모가 같은 분수의 덧셈과 뺄셈, 소수의 덧셈과 뺄셈을 공부하여 초등 4학년 과정 연산을 마무리하고 초등 5학년 연산과정에서 가장 중요한 약수와 배수, 분모가 다른 분수의 덧셈과 뺄셈을 충분히 익힐 수 있도록 하였습니다.

학습대상 : 초등학교 4, 5학년 수학교과과정을 공부하는 학생
학습목표 : 분모가 같은 분수의 덧셈과 뺄셈, 소수의 덧셈과 뺄셈, 분모가 다른 분수의 덧셈과 뺄셈

소마셈 단계별 학습내용

K 단계 추천연령 : 5, 6, 7세

단계	K1	K2	K3	K4
권별 주제	10까지의 더하기와 빼기 1	20까지의 더하기와 빼기 1	10까지의 더하기와 빼기 2	20까지의 더하기와 빼기 2
단계	K5	K6	K7	K8
권별 주제	10까지의 더하기와 빼기 3	20까지의 더하기와 빼기 3	20까지의 더하기와 빼기 4	7까지의 가르기와 모으기

P 단계 추천연령 : 7세, 1학년

단계	P1	P2	P3	P4
권별 주제	30까지의 더하기와 빼기 5	30까지의 더하기와 빼기 6	30까지의 더하기와 빼기 10	30까지의 더하기와 빼기 9
단계	P5	P6	P7	P8
권별 주제	9까지의 가르기와 모으기	10 가르기와 모으기	10을 이용한 더하기	10을 이용한 빼기

A 단계 추천연령 : 1학년

단계	A1	A2	A3	A4
권별 주제	덧셈구구	뺄셈구구	세 수의 덧셈과 뺄셈	□가 있는 덧셈과 뺄셈
단계	A5	A6	A7	A8
권별 주제	(두 자리 수)＋(한 자리 수)	(두 자리 수)－(한 자리 수)	두 자리 수의 덧셈과 뺄셈	□가 있는 두 자리 수의 덧셈과 뺄셈

B 단계 추천연령 : 2학년

단계	B1	B2	B3	B4
권별 주제	(두 자리 수)＋(두 자리 수)	(두 자리 수)－(두 자리 수)	세 자리 수의 덧셈과 뺄셈	덧셈과 뺄셈의 활용
단계	B5	B6	B7	B8
권별 주제	곱셈	곱셈구구	나눗셈	곱셈과 나눗셈의 활용

C 단계 추천연령 : 3학년

단계	C1	C2	C3	C4
권별 주제	두 자리 수의 곱셈	두 자리 수의 곱셈과 활용	두 자리 수의 나눗셈	세 자리 수의 나눗셈과 활용
단계	C5	C6	C7	C8
권별 주제	큰 수의 곱셈	큰 수의 나눗셈	혼합 계산	혼합 계산의 활용

D 단계 추천연령 : 4학년

단계	D1	D2	D3	D4
권별 주제	분모가 같은 분수의 덧셈과 뺄셈(1)	분모가 같은 분수의 덧셈과 뺄셈(2)	소수의 덧셈과 뺄셈	약수와 배수
단계	D5	D6		
권별 주제	분모가 다른 분수의 덧셈과 뺄셈(1)	분모가 다른 분수의 덧셈과 뺄셈(2)		

구성과 특징

① 수 이야기

생활 속의 수 이야기를 통해 수와 연산의 이해를 돕습니다. 수의 역사나 재미있는 연산 문제를 접하면서 수학이 재미있는 공부가 되도록 합니다.

② 원리 & 연습

구체물 또는 그림을 통해 연산의 원리를 쉽게 이해하고, 원리의 이해를 바탕으로 연산이 익숙해지도록 연습합니다.

소마의 마술같은 원리셈

사고력 연산

반복적인 연산에서 나아가 배운 원리를 활용하여 확장된 문제를 해결합니다. 어려운 문제를 싣기보다 다양한 생각을 할 수 있는 내용으로 구성하였습니다.

Drill (보충학습)

주차별 주제에 대한 연습이 더 필요한 경우 보충학습을 활용합니다.

 연산과정의 확인이 필수적인 주제는 Drill 의 양을 2배로 담았습니다.

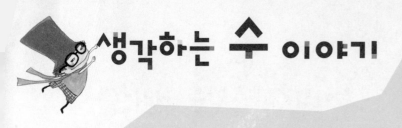
아라비아 숫자

우리가 사용하고 있는 1, 2, 3, 4, 5, 6, 7, 8, 9와 0이라는 기호는 약 1400~1500년 전에 인도에서 처음으로 만들어졌어요.

인도에서 발명된 이 숫자는 인도와 유럽 등을 오가던 아라비아의 상인들에 의해 퍼져나가면서 오늘날 이 숫자를 아라비아 숫자라 부르는 것이랍니다.

오래 전 아랍에서는 수를 말로 써서 길게 나타내고 있었기 때문에 수를 기록하고, 계산을 할 때도 무척 번거로웠어요. 그러다가 인도에서 건너온 숫자의 편리함을 알게 되었고, 유럽으로 전해오는 과정에서 변형된 것이 오늘날 우리가 사용하는 아라비아 숫자예요.

이때부터 셈이나 수의 기록이 매우 편리해졌을 뿐만 아니라 유럽의 수학이 발전하는 계기가 되었답니다.

두 가지 아라비아 숫자

우리가 사용하는 아라비아 숫자	0	1	2	3	4	5	6	7	8	9
아랍에서 사용하는 아라비아 숫자	٠	١	٢	٣	٤	٥	٦	٧	٨	٩

소마셈 A3 - 1주차

세 수의 덧셈

차례로 더하기

🌱 그림을 보고 □ 안에 알맞은 수를 써넣으세요.

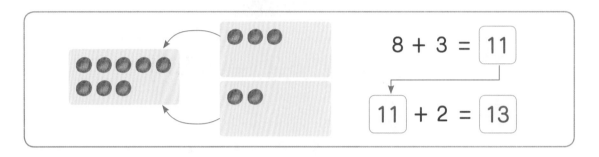

$8 + 3 = \boxed{11}$

$\boxed{11} + 2 = \boxed{13}$

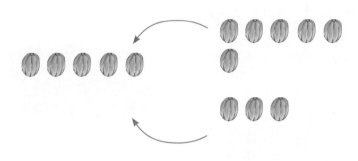

$5 + 6 = \boxed{}$

$\boxed{} + 3 = \boxed{}$

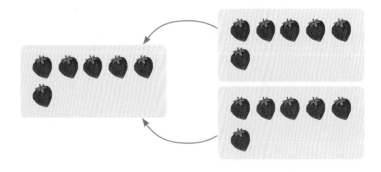

$6 + 6 = \boxed{}$

$\boxed{} + 6 = \boxed{}$

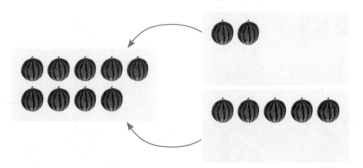

$9 + 2 = \boxed{}$

$\boxed{} + 5 = \boxed{}$

🌱 그림을 보고 □ 안에 알맞은 수를 써넣으세요.

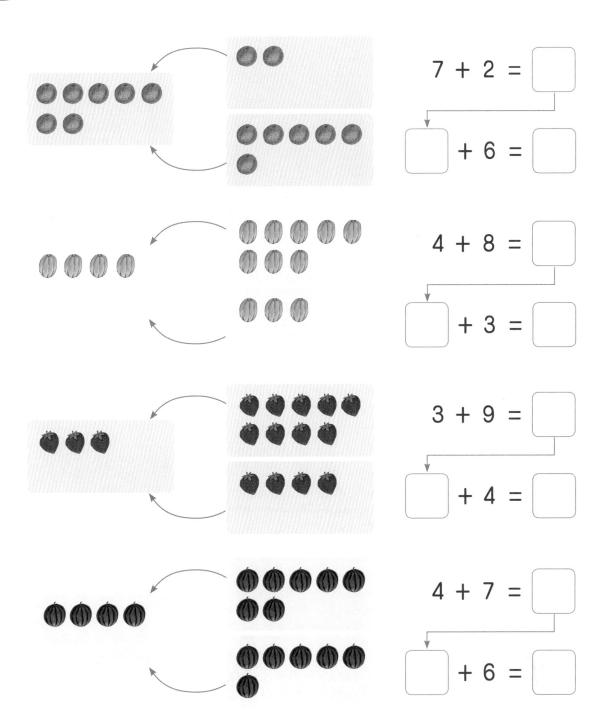

$7 + 2 =$ ☐

☐ $+ 6 =$ ☐

$4 + 8 =$ ☐

☐ $+ 3 =$ ☐

$3 + 9 =$ ☐

☐ $+ 4 =$ ☐

$4 + 7 =$ ☐

☐ $+ 6 =$ ☐

🌱 □ 안에 알맞은 수를 써넣으세요.

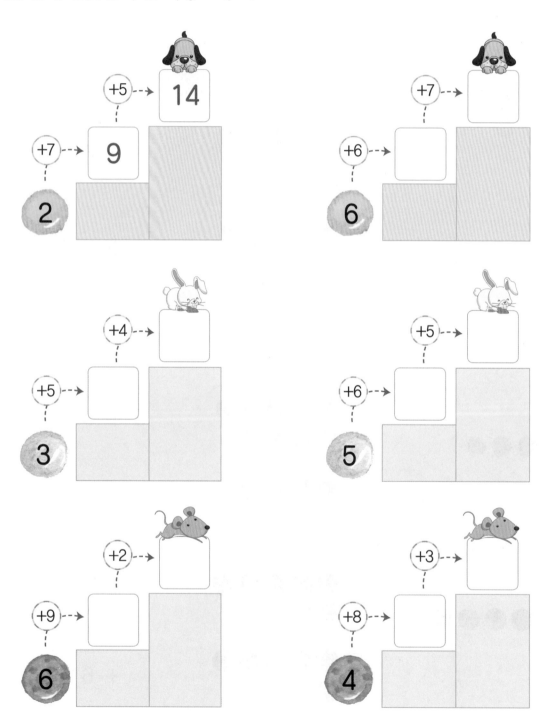

세 수의 덧셈

 □ 안에 알맞은 수를 써넣어 차례로 계산하세요.

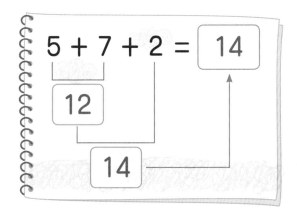

5 + 7 + 2 = 14

12

14

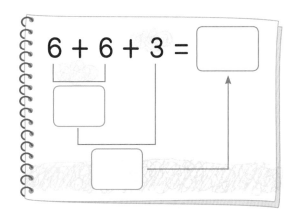

6 + 6 + 3 =

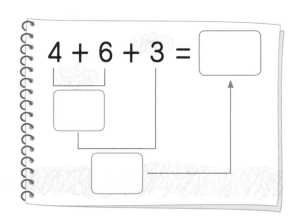

4 + 6 + 3 =

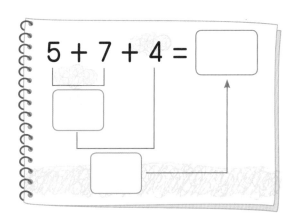

5 + 7 + 4 =

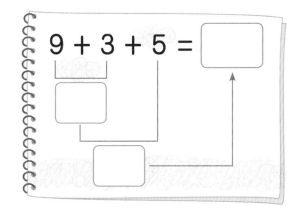

9 + 3 + 5 =

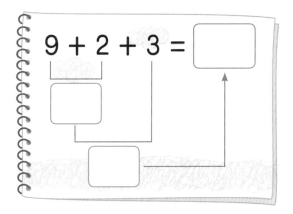

9 + 2 + 3 =

계산 결과가 같은 것끼리 선으로 이어 보세요.

$5+8+1=14$ •

• $8+4+3=$

$9+2+4=$ •

• $9+1+2=$

$6+5+1=$ •

• $6+5+2=$

$5+3+5=$ •

• $7+3+4=14$

$5+4+2=$ •

• $8+8+2=$

$7+5+6=$ •

• $4+6+1=$

잘못된 식

 다음 중 계산이 잘못된 식을 찾아 답을 바르게 고쳐 보세요.

- 5+8+1=⑭

- 8+4+3=~~12~~ 15

- 9+1+2=⑫

- 9+2+4=13

- 6+5+1=12

- 6+7+2=15

- 5+3+5=11

- 5+4+2=11

- 4+7+4=15

- 7+3+4=14

- 8+8+2=18

- 3+7+6=15

 다음 중 계산이 잘못된 식을 찾아 답을 바르게 고쳐 보세요.

- 7+5+6=18
- 4+8+5=17
- 4+5+7=15

- 4+6+1=10
- 9+4+2=15
- 7+6+3=16

- 9+3+5=17
- 8+5+3=13
- 7+2+9=18

- 7+8+4=19
- 7+6+6=18
- 2+9+7=18

덧셈 퍼즐

🌱 ○ 안에는 각 줄의 □ 안의 세 수의 합이 들어갑니다. ○ 안에 알맞은 수를
써넣으세요.

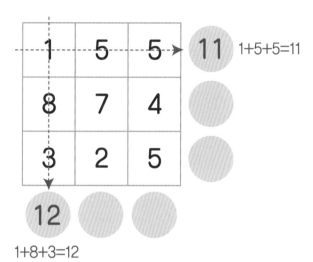

1	5	5	**11** 1+5+5=11
8	7	4	
3	2	5	

12

1+8+3=12

2	8	7	
5	3	5	
9	4	3	

5	3	6	
9	1	8	
4	7	4	

3	5	7	
7	5	6	
5	8	6	

🌱 화살이 점수판에 맞은 자리를 보고 점수를 계산해 보세요.

5+4+7=16

16 점

[ ] 점

[ ] 점

[ ] 점

[ ] 점

[ ] 점

 이야기를 읽고, 방과 후 수업을 신청한 사람은 몇 명인지 구하세요.

승환이는 모형 비행기를 만드는 방과 후 수업을 신청하였습니다. 이 수업은 1, 2, 3학년을 위한 수업으로 4, 5, 6학년과 함께 수업을 하지는 않습니다.

첫 수업을 듣기 위해 교실에 갔더니 2학년은 7명, 3학년은 4명이 수업을 신청하였고, 승환이와 같은 학년인 1학년은 8명이 신청을 하였습니다.

방과 후 수업을 신청한 사람은 모두 몇 명일까요?

식 : 7 + 4 + 8 = 19

☐ 명

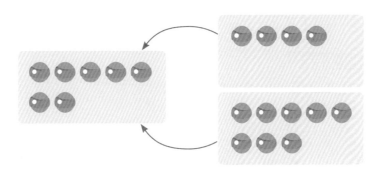

 다음을 읽고 알맞은 덧셈식을 쓰고, 답을 구하세요.

바나나를 좋아하는 3명의 어린이와 딸기를 좋아하는 6명의 어린이, 수박을
좋아하는 4명의 어린이가 있습니다. 바나나와 딸기, 수박을 좋아하는 어린
이는 모두 몇 명일까요?

식 : _____   명

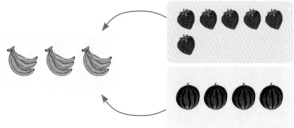

광수는 초록색 구슬 9개, 노란색 구슬 5개가 있습니다. 어느 날 친구가 파
란색 구슬 4개를 선물로 주었습니다. 광수가 가지고 있는 구슬은 모두 몇
개일까요?

식 : _____   개

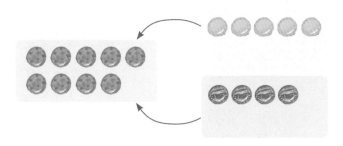

다음을 읽고 알맞은 덧셈식을 쓰고, 답을 구하세요.

회장 선거에서 정우는 8표를 얻었고, 수정이는 5표를 얻었습니다. 우성이는 정우와 수정이가 얻은 표보다 3표를 더 얻어서 회장이 되었습니다. 우성이가 얻은 표는 모두 몇 표일까요?

식 : _____   표

용수는 이번 주 수학 숙제를 3일 동안 나누어 하기로 했습니다. 어제는 7문제, 오늘은 5문제를 풀었고, 내일 6문제를 더 풀어야 합니다. 이번 주에 용수가 해야 하는 수학 숙제는 모두 몇 문제일까요?

식 : _____   문제

꽃밭의 꽃 위에 나비가 4마리, 벌이 8마리 앉아있습니다. 벌 5마리가 더 날아와 꽃 위에 앉으면 꽃밭에 나비와 벌은 모두 몇 마리일까요?

식 : _____   마리

다음을 읽고 알맞은 덧셈식을 쓰고, 답을 구하세요.

지성이는 8살인데 지성이의 형은 지성이보다 4살이 많고, 지성이의 누나는 지성이의 형보다 3살이 많습니다. 지성이의 누나는 몇 살일까요?

식 : _____ 살

쟁반에 귤이 있습니다. 아빠가 7개를 먹고 엄마가 4개를 먹었더니 쟁반에 귤이 4개가 남았습니다. 쟁반에 있던 귤은 모두 몇 개일까요?

식 : _____ 개

진구는 구슬을 9개 가지고 있는데, 구슬 3개를 선물로 받았습니다. 구슬 4개를 더 모으면 진구가 목표로 했던 구슬의 수를 모두 채우게 됩니다. 진구가 모으려고 하는 구슬은 몇 개일까요?

식 : _____ 개

소마셈 A3 – 2주차

세 수의 뺄셈

차례로 빼기

 그림을 보고 □ 안에 알맞은 수를 써넣으세요.

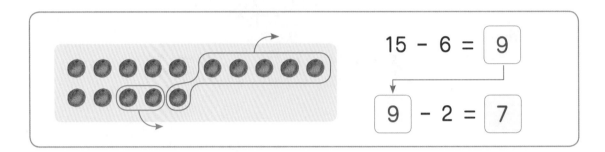

$15 - 6 = \boxed{9}$

$\boxed{9} - 2 = \boxed{7}$

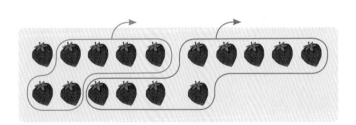

$15 - 7 = \boxed{}$

$\boxed{} - 3 = \boxed{}$

$16 - 9 = \boxed{}$

$\boxed{} - 6 = \boxed{}$

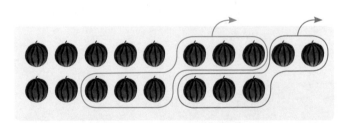

$18 - 5 = \boxed{}$

$\boxed{} - 6 = \boxed{}$

그림을 보고 □ 안에 알맞은 수를 써넣으세요.

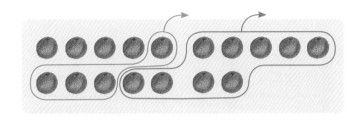

$17 - 9 = \boxed{}$

$\boxed{} - 4 = \boxed{}$

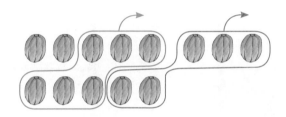

$13 - 5 = \boxed{}$

$\boxed{} - 6 = \boxed{}$

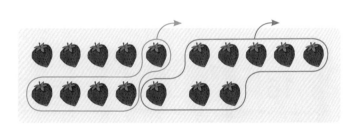

$17 - 8 = \boxed{}$

$\boxed{} - 5 = \boxed{}$

$19 - 5 = \boxed{}$

$\boxed{} - 7 = \boxed{}$

 □ 안에 알맞은 수를 써넣으세요.

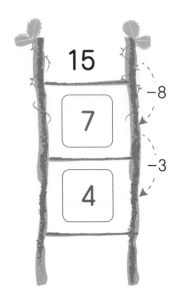

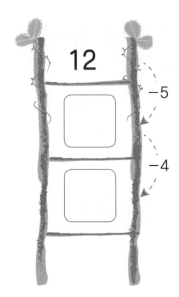

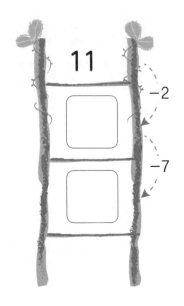

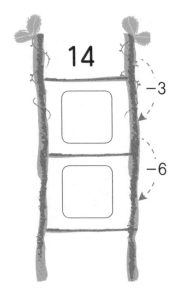

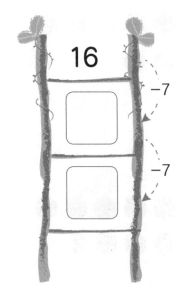

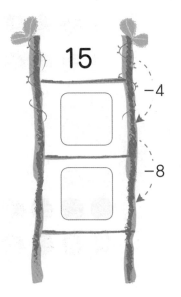

세 수의 뺄셈

 □ 안에 알맞은 수를 써넣어 차례로 계산하세요.

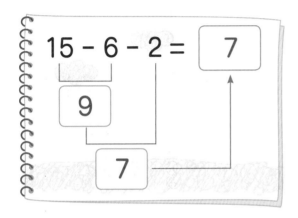

$15 - 6 - 2 =$ 7

9

7

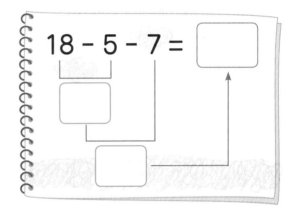

$18 - 5 - 7 =$

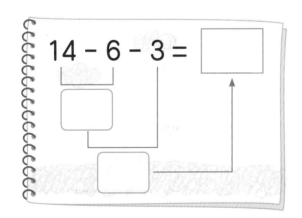

$14 - 6 - 3 =$

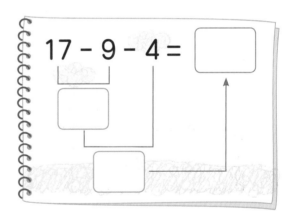

$17 - 9 - 4 =$

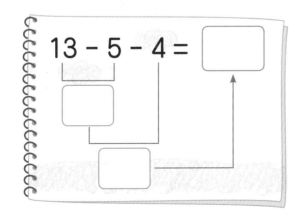

$13 - 5 - 4 =$

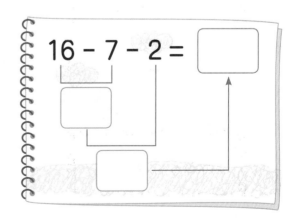

$16 - 7 - 2 =$

월

일

🌱 계산 결과가 같은 것끼리 선으로 이어 보세요.

$17-8-2=7$ •

• $14-4-2=$

$19-5-6=$ •

• $12-1-5=$

$16-8-2=$ •

• $15-4-7=$

$17-9-3=$ •

• $11-2-2=7$

$15-5-6=$ •

• $15-5-5=$

$18-9-6=$ •

• $17-8-6=$

3 일 차 잘못된 식

 다음 중 계산이 잘못된 식을 찾아 답을 바르게 고쳐 보세요.

- 15 - 7 - 7 = ①
- 14 - 8 - 1 = ~~4~~ 5
- 18 - 7 - 5 = ⑥

- 18 - 7 - 8 = 5
- 17 - 9 - 3 = 5
- 12 - 6 - 3 = 3

- 16 - 6 - 5 = 5
- 14 - 5 - 6 = 4
- 11 - 4 - 3 = 4

- 13 - 4 - 8 = 2
- 17 - 2 - 9 = 6
- 14 - 5 - 5 = 4

 다음 중 계산이 잘못된 식을 찾아 답을 바르게 고쳐 보세요.

- 14 - 6 - 7 = 1

- 18 - 9 - 1 = 7

- 15 - 5 - 8 = 2

- 17 - 7 - 8 = 3

- 14 - 8 - 4 = 2

- 11 - 4 - 5 = 2

- 13 - 4 - 8 = 1

- 14 - 2 - 6 = 6

- 16 - 3 - 6 = 9

- 12 - 3 - 7 = 2

- 18 - 9 - 8 = 1

- 17 - 4 - 6 = 8

뺄셈 퍼즐

🌱 규칙에 맞게 빈칸에 알맞은 수를 써넣으세요.

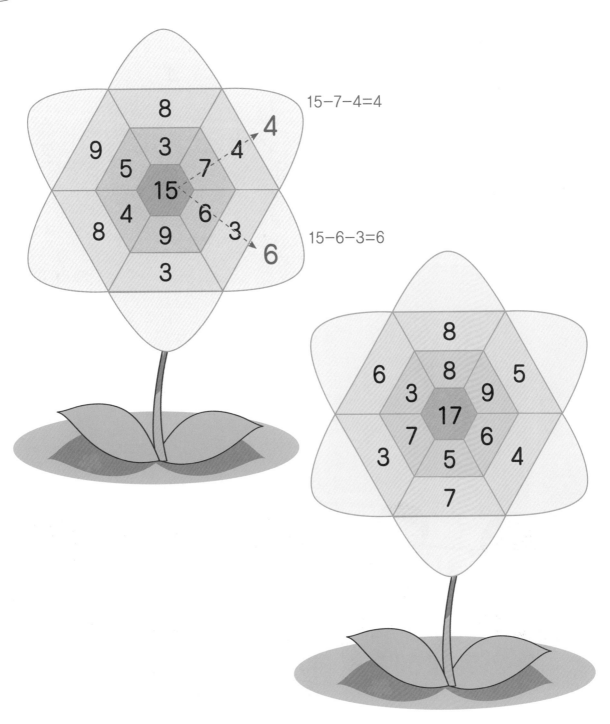

 올바른 계산 결과를 찾아 선을 그어 보세요.

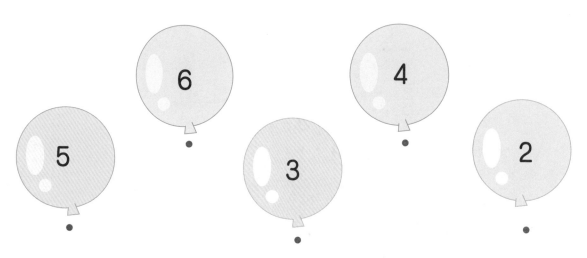

30 소마셈 – A3

문장제

 이야기를 읽고, 엄마가 냉장고에 넣어 둔 달걀은 몇 개인지 구하세요.

성수는 엄마 심부름으로 달걀 12개를 사러 가게에 갔습니다. 그런데, 달걀을 사서 집으로 돌아오는 중 잠시 한눈을 판 성수가 넘어지고 말았습니다.

얼른 달걀을 봤더니 4개가 깨져 있었습니다.

걱정스러운 마음으로 집에 갔지만 다행히 엄마에게 혼이 나지는 않았습니다.

엄마는 깨진 달걀을 버리고 그 중 3개는 삶아서 먹고, 남은 것은 냉장고에 넣어 두었습니다.

엄마가 냉장고에 넣어 둔 달걀은 몇 개일까요?

식 : 12 − 4 − 3 = 5

 개

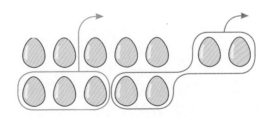

 다음을 읽고 알맞은 뺄셈식을 쓰고, 답을 구하세요.

14명의 친구들이 도서관에 모여서 책을 보기로 했습니다. 그런데, 2명의 친구는 아파서, 5명의 친구는 일이 생겨서 오지 못했습니다. 도서관에 온 친구는 몇 명일까요?

식 : _____ ⬜ 명

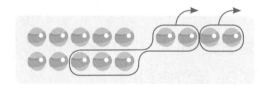

수학시간에 주영이와 수미가 12문제를 함께 풀려고 합니다. 3문제는 주영이가 풀었고, 2문제는 수미가 풀었다면 아직 풀지 못한 남은 문제는 몇 문제일까요?

식 : _____ ⬜ 문제

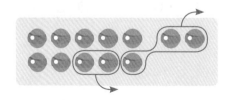

다음을 읽고 알맞은 뺄셈식을 쓰고, 답을 구하세요.

붕어빵이 11개 있습니다. 나와 친구가 붕어빵을 3개씩 먹으면 남은 붕어빵은 몇 개일까요?

식 :

개

접시에 땅콩 18개가 있습니다. 형이 7개, 동생이 6개의 땅콩을 먹으면 남은 땅콩은 몇 개일까요?

식 :

개

버스에 사람이 16명 타고 있습니다. 첫 번째 정류장에서 5명이 내리고, 두 번째 정류장에서 3명이 내렸습니다. 더 이상 버스를 탄 사람이 없다면 현재 버스에 타고 있는 사람은 몇 명일까요?

식 :

 명

 다음을 읽고 알맞은 **뺄셈식**을 쓰고, 답을 구하세요.

재아가 풍선을 13개 불었습니다. 그 중 3개를 동생에게 주고, 남은 풍선을 가지고 놀다가 4개의 풍선이 터졌습니다. 재아에게 남은 풍선은 몇 개일까요?

식 : _____ 　　□ 개

우성이는 오늘 책 16쪽을 읽기로 했습니다. 오전에 7쪽을 읽었고 낮에 6쪽을 더 읽었다면 오늘 몇 쪽을 더 읽어야 할까요?

식 : _____ 　　□ 쪽

종훈이는 100원짜리 동전 12개를 가지고 있습니다. 아이스크림을 사는 데 동전 5개를, 지우개를 사는 데 동전 3개를 사용했다면 종훈이에게 남은 100원짜리 동전은 몇 개일까요?

식 : _____ 　　□ 개

소마셈 A3 - 3주차

세 수의 덧셈과 뺄셈

1 일 차 차례로 계산하기

 빈칸에 알맞은 수를 써넣으세요.

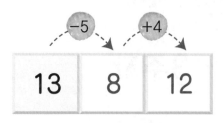

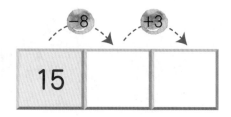

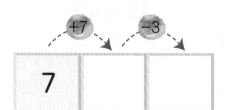

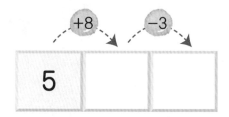

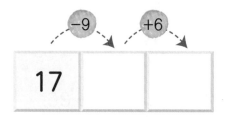

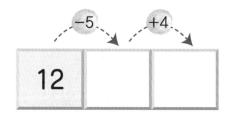

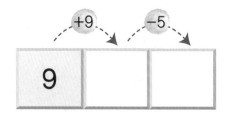

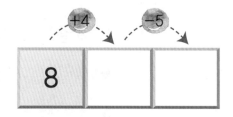

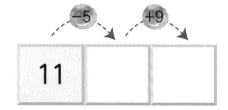

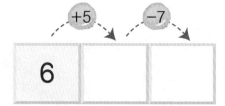

🌱 빈칸에 알맞은 수를 써넣으세요.

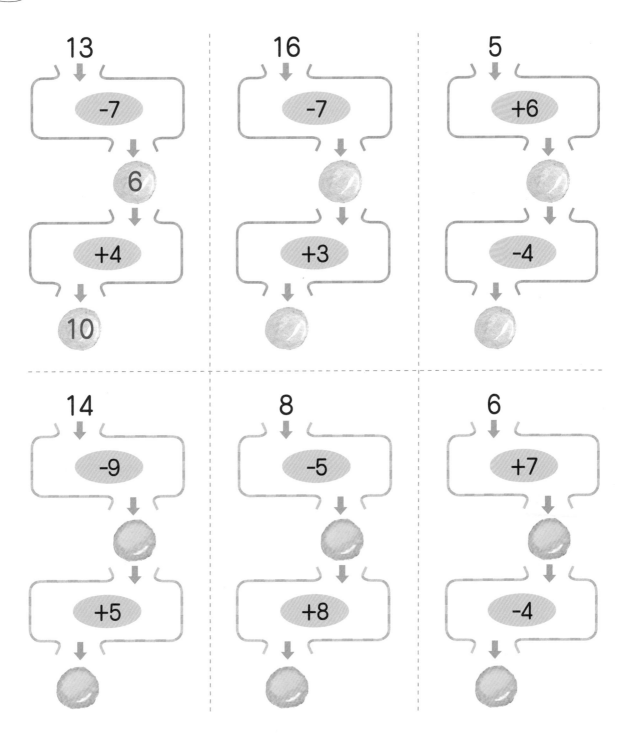

세 수의 덧셈과 뺄셈

 □ 안에 알맞은 수를 써넣어 차례로 계산하세요.

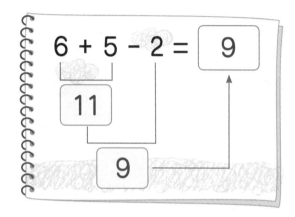

6 + 5 - 2 = 9

11

9

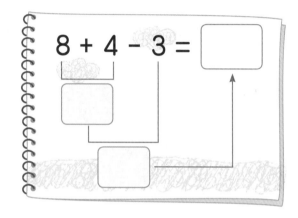

8 + 4 - 3 =

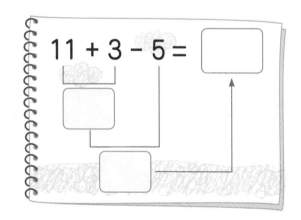

11 + 3 - 5 =

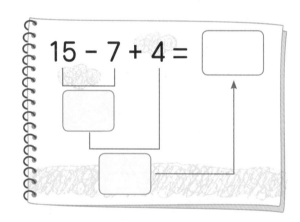

15 - 7 + 4 =

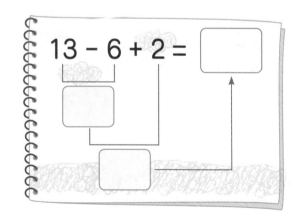

13 - 6 + 2 =

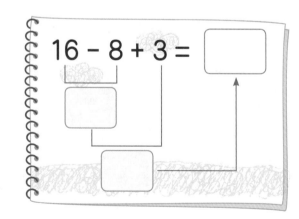

16 - 8 + 3 =

🌱 계산 결과가 같은 것끼리 선으로 이어 보세요.

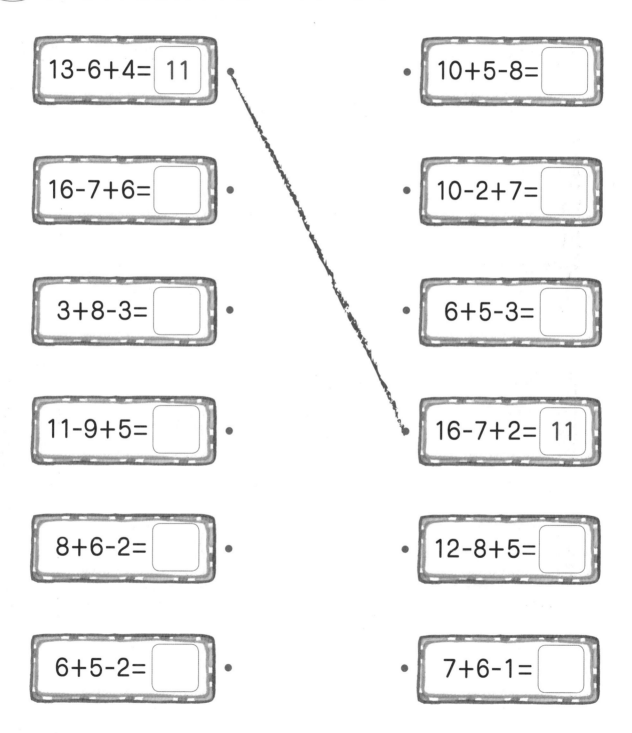

13-6+4= 11

10+5-8=

16-7+6=

10-2+7=

3+8-3=

6+5-3=

11-9+5=

16-7+2= 11

8+6-2=

12-8+5=

6+5-2=

7+6-1=

잘못된 식

 다음 중 계산이 잘못된 식을 찾아 답을 바르게 고쳐 보세요.

- $15 - 7 + 6 = $ ⑭
- $14 - 8 + 1 = $ ⑦
- $12 - 7 + 5 = $ ~~9~~ 10

- $12 - 7 + 8 = 15$
- $13 - 9 + 3 = 7$
- $12 + 6 - 9 = 9$

- $13 - 6 + 5 = 12$
- $12 + 5 - 8 = 9$
- $14 - 7 + 3 = 12$

- $13 + 4 - 8 = 10$
- $11 + 2 - 8 = 5$
- $14 - 6 + 1 = 9$

다음 중 계산이 잘못된 식을 찾아 답을 바르게 고쳐 보세요.

- $11 + 6 - 7 = 10$

- $12 - 9 + 1 = 4$

- $12 + 5 - 8 = 10$

- $16 - 9 + 8 = 15$

- $14 - 8 + 4 = 8$

- $11 + 2 - 5 = 8$

- $13 + 4 - 8 = 9$

- $15 + 2 - 7 = 7$

- $11 + 4 - 8 = 7$

- $12 + 3 - 7 = 8$

- $18 - 9 + 3 = 12$

- $12 - 6 + 2 = 10$

덧셈, 뺄셈 퍼즐

🌱 규칙에 맞게 □ 안에 알맞은 수를 써넣으세요.

| ⭐ + |
| ⭐ − |

⭐7 ⭐6 ⭐4 = 9

7 + 6 − 4 = 9

⭐4 ⭐9 ⭐3 = 10

4 + 9 − 3 = 10

⭐17 ⭐9 ⭐7 = □

⭐11 ⭐5 ⭐8 = □

⭐14 ⭐8 ⭐9 = □

⭐6 ⭐8 ⭐7 = □

⭐16 ⭐9 ⭐5 = □

⭐3 ⭐8 ⭐4 □

⭐11 ⭐3 ⭐9 = □

⭐5 ⭐8 ⭐6 = □

⭐15 ⭐8 ⭐6 = □

🌱 올바른 계산 결과가 되도록 길을 그려 보세요.

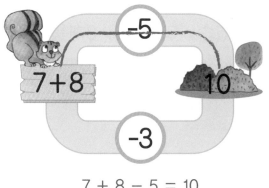

$7 + 8 - 5 = 10$

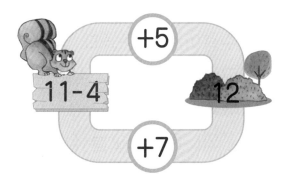

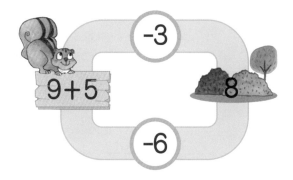

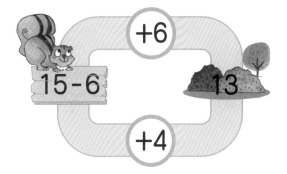

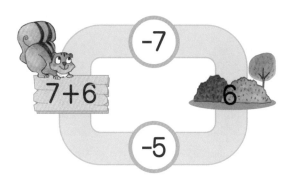

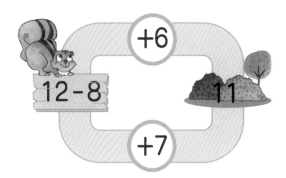

문장제

 이야기를 읽고, 주홍이에게 남은 딱지는 몇 개인지 구하세요.

주홍이는 친구들과 딱지치기를 하였습니다. 딱지 8개를 가지고 딱지치기를 시작한 주홍이는 시작하자마자 5개의 딱지를 땄습니다.

"와! 주홍이 오늘 정말 좋겠다!"

친구들도 주홍이를 부러워했습니다. 그러나 얼마 지나지 않아 주홍이는 7개의 딱지를 잃었습니다.

딱지치기를 한 후 주홍이에게 남은 딱지는 몇 개일까요?

식 : 8 + 5 − 7 = 6 개

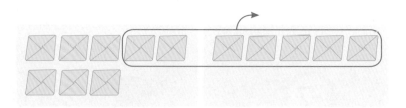

다음을 읽고 알맞은 식을 쓰고, 답을 구하세요.

엄마가 접시에 12개의 쿠키를 담아 오셨습니다. 모두 8개의 쿠키를 먹었
는데 중간에 형이 5개의 쿠키를 더 가져왔습니다. 지금 접시 위에 놓인
쿠키는 모두 몇 개일까요?

식 :

개

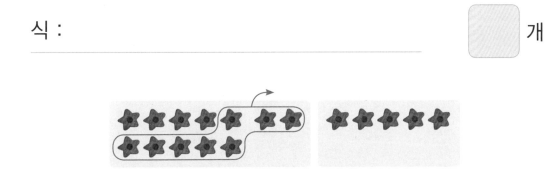

광호에게 5자루의 볼펜과 9자루의 연필이 있습니다. 그 중 4자루의 연필
을 동생에게 주었습니다. 광호에게 남은 볼펜과 연필은 모두 몇 자루일까
요?

식 :

자루

 다음을 읽고 알맞은 식을 쓰고, 답을 구하세요.

마당에 고양이와 강아지가 모두 9마리 있습니다. 마당 밖에서 놀던 고양이 5마리가 마당으로 더 들어오고, 강아지 7마리는 마당 밖으로 나갔습니다. 마당에 남아있는 고양이와 강아지는 모두 몇 마리일까요?

식 : _____ ☐ 마리

승객 7명을 태운 버스가 정류장에 섰습니다. 정류장에서 8명의 승객이 타고 5명이 내렸습니다. 버스가 출발할 때 버스에 타고 있는 승객은 몇 명일까요?

식 : _____ ☐ 명

승우는 9살입니다. 승우의 형은 승우보다 7살이 많고, 누나는 형보다 5살이 어립니다. 승우의 누나는 몇 살일까요?

식 : _____ ☐ 살

 다음을 읽고 알맞은 식을 쓰고, 답을 구하세요.

민지는 7개의 유리구슬을 가지고 있습니다. 그 중 4개를 지현이에게 선물로 주고 쇠구슬 8개를 더 샀습니다. 민지가 가지고 있는 구슬은 모두 몇 개일까요?

식 :

 개

빨간색 풍선이 8개, 파란색 풍선이 6개 있었는데 바람이 불어 그 중에서 5개의 풍선이 날아가 버렸습니다. 남은 풍선은 모두 몇 개일까요?

식 :

 개

꽃병에 6송이의 꽃이 꽂혀 있었는데 3송이의 꽃이 시들어서 버리고, 8송이의 꽃을 새로 꽂아 놓았습니다. 꽃병에는 모두 몇 송이의 꽃이 꽂혀 있을까요?

식 :

 송이

소마셈 A3 - 4주차

순서 바꾸어 계산하기

순서 바꾸어 더하기

 더해서 10이 되는 두 수를 먼저 계산하여 두 식을 비교해 보세요.

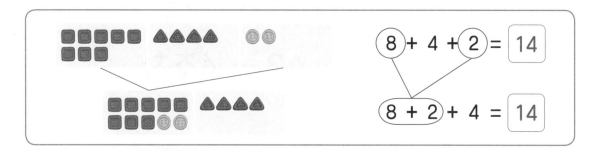

$8 + 4 + 2 = \boxed{14}$

$(8 + 2) + 4 = \boxed{14}$

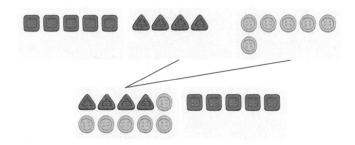

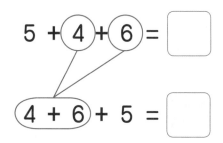

$5 + 4 + 6 = \boxed{}$

$(4 + 6) + 5 = \boxed{}$

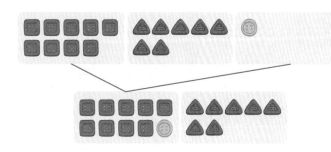

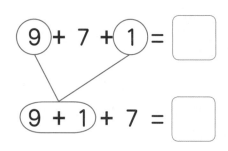

$9 + 7 + 1 = \boxed{}$

$(9 + 1) + 7 = \boxed{}$

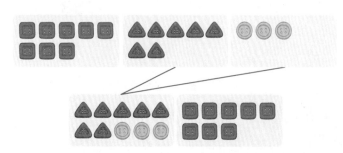

$8 + 7 + 3 = \boxed{}$

$(7 + 3) + 8 = \boxed{}$

더해서 10이 되는 두 수를 먼저 계산하여 세 수의 덧셈을 해 보세요.

$6 + 5 + 4 = \boxed{15}$
10

$7 + 7 + 3 = \boxed{}$

$6 + 8 + 2 = \boxed{}$

$5 + 8 + 5 = \boxed{}$

$8 + 7 + 3 = \boxed{}$

$4 + 6 + 5 = \boxed{}$

$7 + 2 + 8 = \boxed{}$

$3 + 6 + 4 = \boxed{}$

$8 + 1 + 9 = \boxed{}$

$8 + 5 + 2 = \boxed{}$

$3 + 4 + 6 = \boxed{}$

$9 + 3 + 7 = \boxed{}$

순서 바꾸어 빼기

 빼서 10이 되는 뺄셈을 먼저 계산하여 두 식을 비교해 보세요.

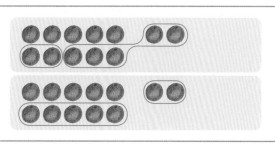

$$(12) - 5 - (2) = \boxed{5}$$

$$(12 - 2) - 5 = \boxed{5}$$

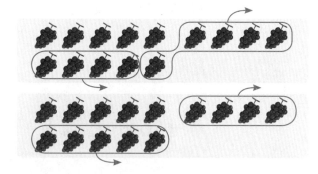

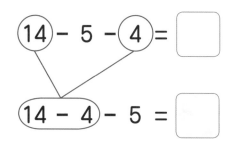

$$(14) - 5 - (4) = \boxed{}$$

$$(14 - 4) - 5 = \boxed{}$$

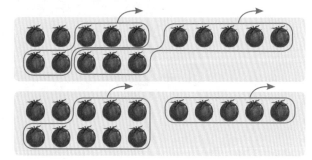

$$(15) - 8 - (5) = \boxed{}$$

$$(15 - 5) - 8 = \boxed{}$$

TIP

세 수의 뺄셈에서 다음을 주의하세요.

$$\underset{7}{13 - 6} - 3 = 4 \ (\bigcirc) \qquad 13 - \underset{10}{6 - 3} = 4 \ (\bigcirc) \qquad 13 - \underset{3}{(6 - 3)} = 10 \ (\times)$$

13−6−3은 13에서 6과 3을 빼는 식입니다. 그러므로 13에서 6을 먼저 빼거나 3을 먼저 뺄 수는 있지만, 13−(6−3)과 같이 6−3을 먼저 계산해서는 안됩니다.

빼서 10이 되는 뺄셈을 먼저 계산하여 세 수의 뺄셈을 해 보세요.

⑬ - 7 - ③ = $\boxed{3}$
    10

12 - 6 - 2 = $\boxed{}$

14 - 5 - 4 = $\boxed{}$

17 - 8 - 7 = $\boxed{}$

13 - 8 - 3 = $\boxed{}$

15 - 6 - 5 = $\boxed{}$

17 - 2 - 7 = $\boxed{}$

14 - 6 - 4 = $\boxed{}$

15 - 8 - 5 = $\boxed{}$

11 - 7 - 1 = $\boxed{}$

13 - 6 - 3 = $\boxed{}$

16 - 9 - 6 = $\boxed{}$

순서 바꾸어 계산하기

 더하거나 빼서 10이나 0이 되는 두 수를 먼저 계산하여 세 수의 덧셈과 뺄셈을 해 보세요.

14 + 3 - 4

10 + 3 = 13

8 + 5 - 5

8 + 0 = 8

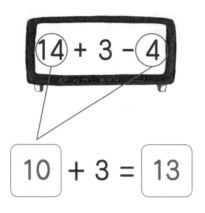

16 + 5 - 6

☐ + 5 = ☐

7 + 4 + 6

7 + ☐ = ☐

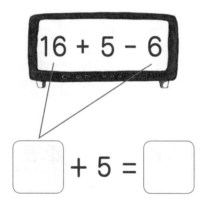

11 - 7 - 1

☐ - 7 = ☐

9 + 3 - 3

9 + ☐ = ☐

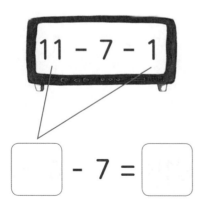

🌱 더하거나 빼서 10이나 0이 되는 두 수를 먼저 계산하여 세 수의 덧셈과 뺄셈을 해 보세요.

⑫ + 7 - ② = ☐ 17
　　 10

7 + ④ - ④ = ☐
　　　 0

9 + 2 - 2 = ☐

5 + 8 - 5 = ☐

13 + 7 - 3 = ☐

14 + 6 - 4 = ☐

7 - 2 + 3 = ☐

8 + 5 + 5 = ☐

11 + 8 - 1 = ☐

8 + 2 - 2 = ☐

3 - 1 + 7 = ☐

9 - 3 + 1 = ☐

덧셈, 뺄셈 퍼즐

🌱 다음 가로 세로 퍼즐의 빈칸에 알맞은 수를 써넣으세요.

8	-	3	+	2	=	
+						-
2						7
-						+
5		8	-	2	+	4	=	
=		+				=		-
		9	-	2	-		=	
		-						+
		8						7
		=						=
			+	4	+	1	=	

규칙에 맞게 □ 안에 알맞은 수를 써넣으세요.

★ +
★ −   13 ⭐ 6 ⭐ 3 ⭐ = 16
          13 + 6 − 3 = 16

4 ⭐ 9 ⭐ 4 ⭐ = □   17 ⭐ 2 ⭐ 7 ⭐ = □
4 + 9 − 4 = 9

11 ⭐ 5 ⭐ 5 ⭐ = □   4 ⭐ 7 ⭐ 4 ⭐ = □

7 ⭐ 8 ⭐ 7 ⭐ = □   16 ⭐ 3 ⭐ 6 ⭐ = □

15 ⭐ 5 ⭐ 6 ⭐ = □   7 ⭐ 4 ⭐ 3 ⭐ = □

11 ⭐ 1 ⭐ 9 ⭐ = □   5 ⭐ 5 ⭐ 8 ⭐ = □

 이야기를 읽고, 세 번째 정류장에 도착했을 때 버스에 타고 있는 승객은 몇 명인지 구하세요.

이른 아침 텅 빈 버스가 첫 번째 정류장을 향해 출발했습니다.
첫 번째 정류장에 도착하니 버스를 기다리던 12명의 사람들이 탔습니다.
두 번째 정류장에서는 5명이 타고 2명이 내렸습니다.
이 버스가 다음 세 번째 정류장에 도착했을 때, 더 이상 타고 내린 사람이 없었습니다.
버스에 타고 있는 승객은 몇 명일까요?

식 :

 명

다음을 읽고 알맞은 식을 쓰고, 답을 구하세요.

정우는 딸기맛 사탕 8개와 초콜릿맛 사탕 6개를 샀습니다. 사탕 6개를 먹으면 남은 사탕은 몇 개일까요?

식 : _____   개

우리 안에 토끼 5마리, 병아리 8마리가 놀고 있습니다. 그 중 토끼 5마리가 우리 밖으로 나가면 우리 안에 남은 토끼와 병아리는 몇 마리일까요?

식 : _____   마리

 다음을 읽고 알맞은 식을 쓰고, 답을 구하세요.

세윤이는 연필 13자루와 지우개 4개를 가지고 있습니다. 그 중 연필 3자루를 잃어버렸다면, 세윤이에게 남은 연필과 지우개는 모두 몇 개일까요?

식 : _____   ☐ 개

승객 8명을 태운 버스가 정류장에 섰습니다. 정류장에서 5명의 승객이 내리고 2명이 탔습니다. 버스가 출발할 때 버스에 타고 있는 승객은 몇 명일까요?

식 : _____   ☐ 명

빨간 풍선이 12개, 파란 풍선이 5개가 있습니다. 그런데, 갑자기 바람이 세게 불어서 그 중 2개가 날아가 버렸습니다. 남은 풍선은 몇 개일까요?

식 : _____   ☐ 개

 다음을 읽고 알맞은 식을 쓰고, 답을 구하세요.

우성이네 시골집에서는 고양이 4마리와 강아지 4마리를 키웁니다. 어느 날 고양이가 새끼를 6마리 낳았습니다. 고양이와 강아지는 모두 몇 마리가 되었을까요?

식 : _____   마리

형과 동생이 바둑돌 떨어뜨리기 게임을 하고 있습니다. 각각 5개씩 가지고 시작했는데, 게임이 끝난 후 바둑알을 보니 7개가 바둑판에서 떨어져 있었습니다. 지금 바둑판 위에 남은 바둑돌은 몇 개일까요?

식 : _____   개

방과 후 운동장에 1학년 7명, 2학년 5명이 공을 차고 있습니다. 4시가 되어 5명의 학생이 집으로 돌아갔다면, 운동장에 남아서 공을 차고 있는 학생은 몇 명일까요?

식 : _____   명

Note

Drill

drill

세 수의 덧셈

□ 안에 알맞은 수를 써넣으세요.

5 + 8 = □   8 + 4 = □

7 + 4 = □   6 + 5 = □

6 + 7 = □   7 + 7 = □

9 + 2 = □   9 + 4 = □

8 + 3 = □   8 + 8 = □

6 + 6 = □   6 + 8 = □

5 + 9 = □   5 + 5 = □

□ 안에 알맞은 수를 써넣으세요.

3 + 9 = ☐   4 + 4 = ☐

6 + 5 = ☐   5 + 6 = ☐

8 + 3 = ☐   7 + 9 = ☐

2 + 8 = ☐   6 + 7 = ☐

7 + 4 = ☐   9 + 9 = ☐

9 + 5 = ☐   4 + 9 = ☐

8 + 7 = ☐   7 + 7 = ☐

□ 안에 알맞은 수를 써넣으세요.

4 + 9 = ☐   8 + 3 = ☐

6 + 8 = ☐   6 + 4 = ☐

7 + 6 = ☐   7 + 5 = ☐

3 + 7 = ☐   9 + 3 = ☐

2 + 9 = ☐   6 + 6 = ☐

5 + 6 = ☐   5 + 8 = ☐

6 + 7 = ☐   7 + 8 = ☐

□ 안에 알맞은 수를 써넣으세요.

6 + 4 = ☐   8 + 3 = ☐

7 + 4 = ☐   9 + 9 = ☐

8 + 5 = ☐   4 + 8 = ☐

6 + 6 = ☐   5 + 5 = ☐

9 + 2 = ☐   7 + 7 = ☐

5 + 5 = ☐   8 + 8 = ☐

6 + 8 = ☐   3 + 9 = ☐

□ 안에 알맞은 수를 써넣으세요.

5 + 8 + 1 = ☐   4 + 6 + 8 = ☐

7 + 2 + 4 = ☐   3 + 9 + 4 = ☐

6 + 5 + 1 = ☐   6 + 5 + 4 = ☐

2 + 9 + 4 = ☐   2 + 7 + 6 = ☐

6 + 3 + 3 = ☐   5 + 6 + 2 = ☐

5 + 7 + 2 = ☐   9 + 2 + 3 = ☐

6 + 6 + 2 = ☐   6 + 3 + 2 = ☐

□ 안에 알맞은 수를 써넣으세요.

4 + 9 + 3 = ☐   4 + 7 + 6 = ☐

3 + 9 + 3 = ☐   5 + 6 + 3 = ☐

7 + 4 + 2 = ☐   4 + 5 + 8 = ☐

4 + 9 + 6 = ☐   2 + 9 + 5 = ☐

5 + 4 + 4 = ☐   6 + 7 + 1 = ☐

6 + 8 + 3 = ☐   8 + 3 + 4 = ☐

7 + 3 + 8 = ☐   5 + 8 + 2 = ☐

□ 안에 알맞은 수를 써넣으세요.

4 + 8 + 2 = ☐   4 + 3 + 6 = ☐

3 + 5 + 4 = ☐   5 + 9 + 2 = ☐

6 + 2 + 4 = ☐   7 + 5 + 3 = ☐

3 + 5 + 9 = ☐   4 + 2 + 6 = ☐

4 + 6 + 6 = ☐   7 + 9 + 2 = ☐

7 + 7 + 3 = ☐   8 + 3 + 5 = ☐

8 + 6 + 1 = ☐   6 + 4 + 5 = ☐

□ 안에 알맞은 수를 써넣으세요.

$3 + 4 + 8 =$ ⬜ $5 + 2 + 9 =$ ⬜

$6 + 5 + 2 =$ ⬜ $2 + 8 + 8 =$ ⬜

$5 + 4 + 5 =$ ⬜ $4 + 5 + 6 =$ ⬜

$4 + 5 + 6 =$ ⬜ $6 + 7 + 3 =$ ⬜

$6 + 4 + 3 =$ ⬜ $4 + 7 + 3 =$ ⬜

$6 + 3 + 4 =$ ⬜ $8 + 2 + 5 =$ ⬜

$5 + 7 + 7 =$ ⬜ $7 + 8 + 3 =$ ⬜

□ 안에 알맞은 수를 써넣으세요.

10 - 3 = ☐   13 - 2 = ☐

12 - 4 = ☐   14 - 7 = ☐

13 - 6 = ☐   16 - 8 = ☐

14 - 9 = ☐   15 - 6 = ☐

11 - 2 = ☐   13 - 9 = ☐

15 - 8 = ☐   14 - 6 = ☐

16 - 3 = ☐   13 - 4 = ☐

□ 안에 알맞은 수를 써넣으세요.

10 - 9 = ☐   13 - 4 = ☐

11 - 4 = ☐   16 - 8 = ☐

12 - 3 = ☐   12 - 7 = ☐

13 - 5 = ☐   11 - 3 = ☐

11 - 7 = ☐   10 - 7 = ☐

15 - 9 = ☐   14 - 9 = ☐

18 - 9 = ☐   15 - 6 = ☐

□ 안에 알맞은 수를 써넣으세요.

12 - 6 = ☐   14 - 7 = ☐

13 - 4 = ☐   12 - 8 = ☐

11 - 7 = ☐   15 - 9 = ☐

10 - 1 = ☐   14 - 4 = ☐

11 - 3 = ☐   13 - 7 = ☐

12 - 9 = ☐   12 - 7 = ☐

13 - 8 = ☐   11 - 2 = ☐

□ 안에 알맞은 수를 써넣으세요.

14 - 3 = ☐   13 - 4 = ☐

12 - 5 = ☐   12 - 8 = ☐

13 - 7 = ☐   13 - 5 = ☐

10 - 8 = ☐   11 - 6 = ☐

11 - 9 = ☐   12 - 3 = ☐

16 - 6 = ☐   10 - 4 = ☐

15 - 8 = ☐   18 - 9 = ☐

□ 안에 알맞은 수를 써넣으세요.

15 – 8 – 1 = ☐   14 – 6 – 7 = ☐

17 – 9 – 2 = ☐   13 – 9 – 2 = ☐

16 – 7 – 4 = ☐   16 – 8 – 4 = ☐

19 – 8 – 5 = ☐   12 – 7 – 3 = ☐

15 – 6 – 4 = ☐   15 – 6 – 2 = ☐

15 – 7 – 2 = ☐   19 – 3 – 8 = ☐

16 – 8 – 2 = ☐   16 – 7 – 5 = ☐

□ 안에 알맞은 수를 써넣으세요.

14 – 9 – 2 = ☐   14 – 7 – 3 = ☐

13 – 6 – 3 = ☐   15 – 6 – 3 = ☐

14 – 6 – 6 = ☐   18 – 9 – 6 = ☐

14 – 6 – 7 = ☐   11 – 6 – 3 = ☐

19 – 6 – 8 = ☐   16 – 8 – 7 = ☐

12 – 7 – 5 = ☐   13 – 7 – 3 = ☐

16 – 7 – 4 = ☐   19 – 7 – 7 = ☐

□ 안에 알맞은 수를 써넣으세요.

14 − 5 − 3 = ☐   12 − 7 − 4 = ☐

15 − 5 − 4 = ☐   14 − 5 − 4 = ☐

14 − 6 − 4 = ☐   15 − 7 − 4 = ☐

17 − 9 − 5 = ☐   16 − 8 − 2 = ☐

16 − 4 − 7 = ☐   16 − 5 − 5 = ☐

19 − 7 − 4 = ☐   17 − 2 − 6 = ☐

18 − 9 − 2 = ☐   18 − 9 − 2 = ☐

□ 안에 알맞은 수를 써넣으세요.

16 - 7 - 4 = ☐

13 - 5 - 6 = ☐

15 - 6 - 4 = ☐

14 - 6 - 4 = ☐

12 - 7 - 3 = ☐

15 - 6 - 7 = ☐

14 - 8 - 5 = ☐

16 - 8 - 4 = ☐

11 - 4 - 2 = ☐

13 - 5 - 5 = ☐

16 - 2 - 7 = ☐

14 - 3 - 6 = ☐

17 - 5 - 7 = ☐

18 - 9 - 3 = ☐

세 수의 덧셈과 뺄셈

□ 안에 알맞은 수를 써넣으세요.

6 + 4 - 5 = ☐   9 + 8 - 5 = ☐

7 + 4 - 6 = ☐   5 + 6 - 1 = ☐

2 + 9 - 3 = ☐   9 + 3 - 2 = ☐

8 + 4 - 5 = ☐   7 + 7 - 6 = ☐

7 + 6 - 3 = ☐   8 + 7 - 3 = ☐

8 + 7 - 9 = ☐   7 + 9 - 8 = ☐

9 + 4 - 6 = ☐   6 + 7 - 1 = ☐

□ 안에 알맞은 수를 써넣으세요.

12 - 3 + 4 = ☐   14 - 7 + 4 = ☐

11 - 6 + 3 = ☐   12 - 5 + 8 = ☐

13 - 5 + 8 = ☐   10 - 4 + 7 = ☐

12 - 6 + 3 = ☐   11 - 3 + 8 = ☐

14 - 8 + 5 = ☐   12 - 4 + 9 = ☐

13 - 4 + 2 = ☐   15 - 8 + 7 = ☐

10 - 3 + 5 = ☐   16 - 9 + 1 = ☐

□ 안에 알맞은 수를 써넣으세요.

6 + 5 - 3 = ☐   7 + 7 - 5 = ☐

7 + 3 - 4 = ☐   8 + 5 - 4 = ☐

6 + 6 - 5 = ☐   6 + 9 - 8 = ☐

7 + 8 - 6 = ☐   7 + 7 - 6 = ☐

8 + 6 - 2 = ☐   3 + 8 - 2 = ☐

6 + 3 - 4 = ☐   7 + 4 - 5 = ☐

9 + 5 - 6 = ☐   9 + 4 - 7 = ☐

□ 안에 알맞은 수를 써넣으세요.

12 - 6 + 3 = ☐   14 - 4 + 3 = ☐

11 - 3 + 8 = ☐   11 - 2 + 5 = ☐

10 - 6 + 4 = ☐   17 - 8 + 2 = ☐

13 - 7 + 2 = ☐   13 - 6 + 4 = ☐

14 - 5 + 6 = ☐   11 - 2 + 4 = ☐

10 - 3 + 4 = ☐   13 - 5 + 3 = ☐

16 - 8 + 3 = ☐   17 - 9 + 4 = ☐

□ 안에 알맞은 수를 써넣으세요.

7 + 7 - 6 = ☐   9 + 8 - 6 = ☐

8 + 2 - 5 = ☐   5 + 9 - 4 = ☐

7 + 6 - 5 = ☐   9 + 5 - 6 = ☐

9 + 6 - 2 = ☐   8 + 8 - 5 = ☐

8 + 6 - 4 = ☐   6 + 6 - 5 = ☐

8 + 7 - 8 = ☐   8 + 7 - 2 = ☐

9 + 5 - 6 = ☐   6 + 7 - 3 = ☐

□ 안에 알맞은 수를 써넣으세요.

11 - 4 + 3 = ☐   15 - 9 + 3 = ☐

12 - 5 + 2 = ☐   11 - 7 + 3 = ☐

12 - 6 + 4 = ☐   12 - 3 + 6 = ☐

11 - 4 + 9 = ☐   16 - 7 + 2 = ☐

13 - 6 + 7 = ☐   15 - 8 + 3 = ☐

12 - 4 + 6 = ☐   14 - 6 + 5 = ☐

14 - 7 + 6 = ☐   13 - 8 + 4 = ☐

□ 안에 알맞은 수를 써넣으세요.

15 - 6 + 2 = ☐

6 + 9 - 4 = ☐

11 - 2 + 7 = ☐

5 + 9 - 6 = ☐

13 - 5 + 4 = ☐

9 - 3 + 6 = ☐

14 - 8 + 2 = ☐

7 + 7 - 5 = ☐

15 - 6 + 4 = ☐

6 - 4 + 6 = ☐

8 + 7 - 9 = ☐

9 + 5 - 8 = ☐

16 - 8 + 3 = ☐

4 + 7 - 2 = ☐

□ 안에 알맞은 수를 써넣으세요.

11 − 9 + 2 = ☐

4 + 9 − 5 = ☐

9 + 4 − 7 = ☐

8 + 6 − 3 = ☐

12 − 5 + 6 = ☐

11 − 3 + 5 = ☐

11 − 4 + 7 = ☐

8 + 7 − 6 = ☐

15 − 6 + 4 = ☐

12 − 8 + 4 = ☐

8 − 4 + 9 = ☐

7 + 5 − 6 = ☐

14 − 7 + 8 = ☐

11 − 7 + 5 = ☐

drill

순서 바꾸어 계산하기

□ 안에 알맞은 수를 써넣으세요.

$7 + 5 + 3 = \boxed{}$

$5 + 2 + 5 = \boxed{}$

$9 + 4 + 1 = \boxed{}$

$3 + 2 + 7 = \boxed{}$

$8 + 2 + 6 = \boxed{}$

$9 + 5 + 1 = \boxed{}$

$4 + 3 + 7 = \boxed{}$

$1 + 8 + 2 = \boxed{}$

$5 + 3 + 5 = \boxed{}$

$4 + 5 + 5 = \boxed{}$

$6 + 2 + 8 = \boxed{}$

$2 + 7 + 8 = \boxed{}$

$4 + 4 + 6 = \boxed{}$

$4 + 3 + 6 = \boxed{}$

□ 안에 알맞은 수를 써넣으세요.

15 - 5 - 3 = ☐   12 - 2 - 4 = ☐

14 - 9 - 4 = ☐   13 - 8 - 3 = ☐

12 - 2 - 5 = ☐   11 - 5 - 1 = ☐

13 - 7 - 3 = ☐   12 - 9 - 2 = ☐

14 - 8 - 4 = ☐   13 - 3 - 7 = ☐

15 - 5 - 9 = ☐   16 - 6 - 2 = ☐

16 - 7 - 6 = ☐   15 - 8 - 5 = ☐

□ 안에 알맞은 수를 써넣으세요.

6 + 4 + 5 = ☐

5 + 6 + 5 = ☐

8 + 2 + 6 = ☐

8 + 7 + 3 = ☐

4 + 8 + 2 = ☐

4 + 9 + 6 = ☐

4 + 7 + 3 = ☐

1 + 9 + 6 = ☐

5 + 5 + 7 = ☐

6 + 6 + 4 = ☐

5 + 2 + 8 = ☐

9 + 1 + 7 = ☐

3 + 4 + 6 = ☐

8 + 7 + 2 = ☐

□ 안에 알맞은 수를 써넣으세요.

14 - 4 - 3 = ☐

12 - 4 - 2 = ☐

15 - 6 - 5 = ☐

13 - 6 - 3 = ☐

12 - 4 - 2 = ☐

17 - 7 - 8 = ☐

11 - 1 - 6 = ☐

14 - 6 - 4 = ☐

13 - 9 - 3 = ☐

12 - 2 - 3 = ☐

18 - 7 - 8 = ☐

11 - 1 - 6 = ☐

15 - 8 - 5 = ☐

17 - 9 - 7 = ☐

□ 안에 알맞은 수를 써넣으세요.

3 + 7 - 7 = ☐

12 + 4 - 2 = ☐

14 + 8 - 4 = ☐

5 + 7 - 7 = ☐

5 + 8 - 8 = ☐

4 + 8 - 4 = ☐

16 + 4 - 6 = ☐

13 + 9 - 3 = ☐

9 + 4 - 9 = ☐

10 + 4 - 4 = ☐

5 + 9 - 5 = ☐

7 + 8 - 7 = ☐

7 + 6 - 6 = ☐

6 + 9 - 9 = ☐

□ 안에 알맞은 수를 써넣으세요.

$15 + 3 - 5 =$ ☐

$7 + 3 - 5 =$ ☐

$8 + 4 - 4 =$ ☐

$4 + 6 - 4 =$ ☐

$12 + 3 - 2 =$ ☐

$9 + 5 - 5 =$ ☐

$13 + 7 - 3 =$ ☐

$9 - 8 + 1 =$ ☐

$7 + 5 - 7 =$ ☐

$7 - 5 + 3 =$ ☐

$9 + 1 - 2 =$ ☐

$9 + 4 - 4 =$ ☐

$8 - 5 + 2 =$ ☐

$15 + 8 - 5 =$ ☐

□ 안에 알맞은 수를 써넣으세요.

6 + 7 - 7 = ☐   5 - 3 + 5 = ☐

8 + 2 - 4 = ☐   8 + 9 - 9 = ☐

6 + 8 - 6 = ☐   16 + 3 - 6 = ☐

7 - 6 + 3 = ☐   1 + 9 - 3 = ☐

4 + 8 - 4 = ☐   14 + 5 - 4 = ☐

8 + 6 - 8 = ☐   11 + 2 - 1 = ☐

7 + 5 - 7 = ☐   12 + 4 - 2 = ☐

□ 안에 알맞은 수를 써넣으세요.

16 + 4 - 6 = ☐

9 - 7 + 1 = ☐

9 + 6 - 6 = ☐

8 - 6 + 2 = ☐

7 - 4 + 3 = ☐

8 + 4 - 8 = ☐

6 + 4 - 3 = ☐

12 + 5 - 2 = ☐

11 + 4 - 1 = ☐

6 - 5 + 4 = ☐

6 + 8 - 6 = ☐

9 + 8 - 9 = ☐

9 - 4 + 1 = ☐

13 + 4 - 3 = ☐

Note

정답

정답

1 일차 차례로 더하기

🌱 그림을 보고 □안에 알맞은 수를 써넣으세요.

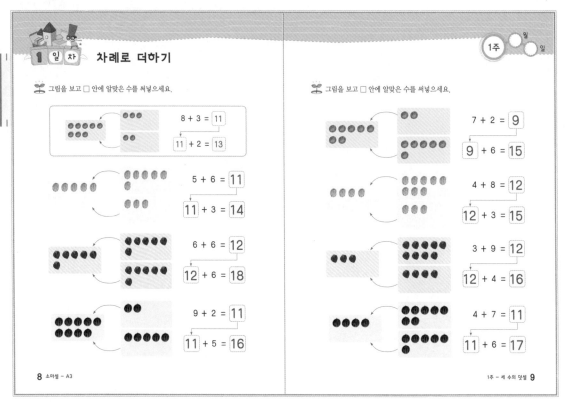

$8 + 3 = 11$
$11 + 2 = 13$

$5 + 6 = 11$
$11 + 3 = 14$

$6 + 6 = 12$
$12 + 6 = 18$

$9 + 2 = 11$
$11 + 5 = 16$

8 소마셈 - A3

🌱 그림을 보고 □안에 알맞은 수를 써넣으세요.

1주

$7 + 2 = 9$
$9 + 6 = 15$

$4 + 8 = 12$
$12 + 3 = 15$

$3 + 9 = 12$
$12 + 4 = 16$

$4 + 7 = 11$
$11 + 6 = 17$

1주 - 세 수의 덧셈 9

1주

🌱 □안에 알맞은 수를 써넣으세요.

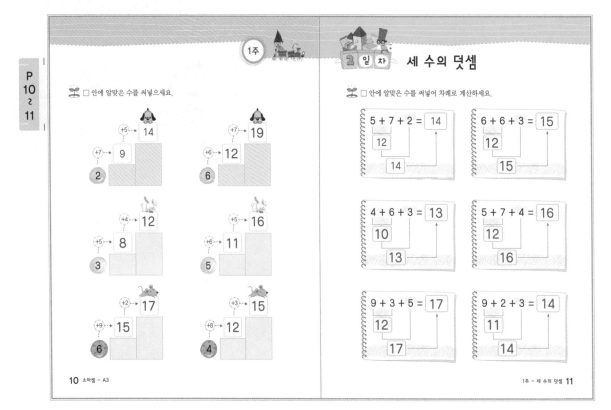

$+5 \rightarrow 14$
$+7 \rightarrow 9$
2

$+7 \rightarrow 19$
$+6 \rightarrow 12$
6

$+4 \rightarrow 12$
$+5 \rightarrow 8$
3

$+5 \rightarrow 16$
$+6 \rightarrow 11$
5

$+2 \rightarrow 17$
$+9 \rightarrow 15$
6

$+3 \rightarrow 15$
$+8 \rightarrow 12$
4

10 소마셈 - A3

2 일차 세 수의 덧셈

🌱 □안에 알맞은 수를 써넣어 차례로 계산하세요.

$5 + 7 + 2 = 14$
12
14

$6 + 6 + 3 = 15$
12
15

$4 + 6 + 3 = 13$
10
13

$5 + 7 + 4 = 16$
12
16

$9 + 3 + 5 = 17$
12
17

$9 + 2 + 3 = 14$
11
14

1주 - 세 수의 덧셈 11

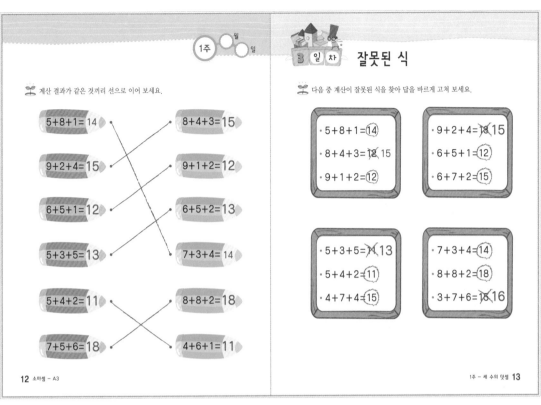

계산 결과가 같은 것끼리 선으로 이어 보세요.

5+8+1= 14   8+4+3=15
9+2+4=15   9+1+2=12
6+5+1=12   6+5+2=13
5+3+5=13   7+3+4= 14
5+4+2=11   8+8+2=18
7+5+6=18   4+6+1=11

3 일차   잘못된 식

다음 중 계산이 잘못된 식을 찾아 답을 바르게 고쳐 보세요.

• 5+8+1=⑭
• 8+4+3=⑫ 15
• 9+1+2=⑫

• 9+2+4=⑬ 15
• 6+5+1=⑫
• 6+7+2=⑮

• 5+3+5=⑪ 13
• 5+4+2=⑪
• 4+7+4=⑮

• 7+3+4=⑭
• 8+8+2=⑱
• 3+7+6=⑯ 16

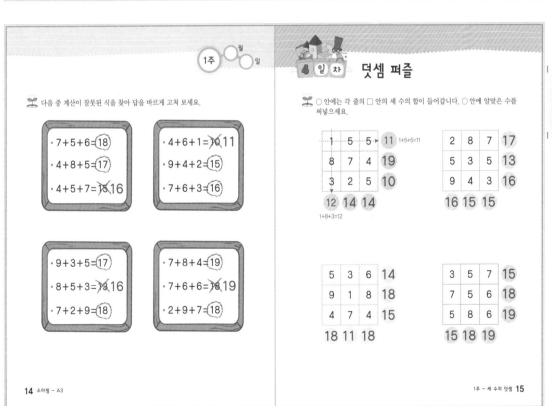

다음 중 계산이 잘못된 식을 찾아 답을 바르게 고쳐 보세요.

• 7+5+6=⑱
• 4+8+5=⑰
• 4+5+7=⑮ 16

• 4+6+1=⑩ 11
• 9+4+2=⑮
• 7+6+3=⑯

• 9+3+5=⑰
• 8+5+3=⑬ 16
• 7+2+9=⑱

• 7+8+4=⑲
• 7+6+6=⑱ 19
• 2+9+7=⑱

4 일차   덧셈 퍼즐

○안에는 각 줄의 □ 안의 세 수의 합이 들어갑니다. ○안에 알맞은 수를 써넣으세요.

1	5	5	11	1+5+5=11
8	7	4	19	
3	2	5	10	
12	14	14		

1+8+3=12

2	8	7	17
5	3	5	13
9	4	3	16
16	15	15	

5	3	6	14
9	1	8	18
4	7	4	15
18	11	18	

3	5	7	15
7	5	6	18
5	8	6	19
15	18	19	

정답 **99**

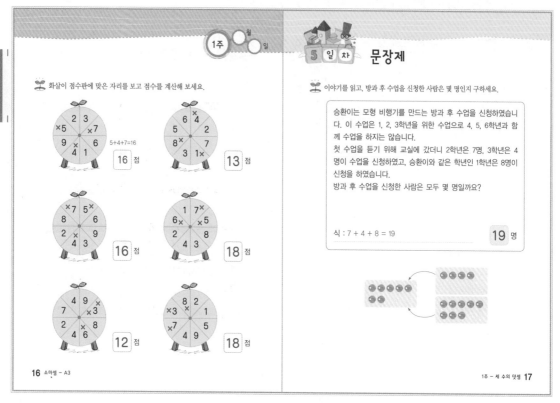

화살이 점수판에 맞은 자리를 보고 점수를 계산해 보세요.

5+4+7=16

16 점

13 점

16 점

18 점

12 점

18 점

16 소마셈 - A3

---

5 일 차 문장제

이야기를 읽고, 방과 후 수업을 신청한 사람은 몇 명인지 구하세요.

승환이는 모형 비행기를 만드는 방과 후 수업을 신청하였습니다. 이 수업은 1, 2, 3학년을 위한 수업으로 4, 5, 6학년과 함께 수업을 하지는 않습니다.
첫 수업을 듣기 위해 교실에 갔더니 2학년은 7명, 3학년은 4명이 수업을 신청하였고, 승환이와 같은 학년인 1학년은 8명이 신청을 하였습니다.
방과 후 수업을 신청한 사람은 모두 몇 명일까요?

식 : 7 + 4 + 8 = 19

19 명

1주 - 세 수의 덧셈 17

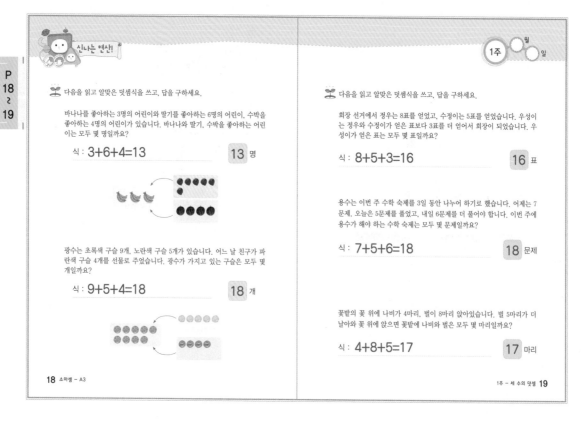

신나는 연산!

다음을 읽고 알맞은 덧셈식을 쓰고, 답을 구하세요.

바나나를 좋아하는 3명의 어린이와 딸기를 좋아하는 6명의 어린이, 수박을 좋아하는 4명의 어린이가 있습니다. 바나나와 딸기, 수박을 좋아하는 어린이는 모두 몇 명일까요?

식 : 3+6+4=13

13 명

광수는 초록색 구슬 9개, 노란색 구슬 5개가 있습니다. 어느 날 친구가 파란색 구슬 4개를 선물로 주었습니다. 광수가 가지고 있는 구슬은 모두 몇 개일까요?

식 : 9+5+4=18

18 개

18 소마셈 - A3

다음을 읽고 알맞은 덧셈식을 쓰고, 답을 구하세요.

회장 선거에서 정우는 8표를 얻었고, 수정이는 5표를 얻었습니다. 우성이는 정우와 수정이가 얻은 표보다 3표를 더 얻어서 회장이 되었습니다. 우성이가 얻은 표는 모두 몇 표일까요?

식 : 8+5+3=16

16 표

용수는 이번 주 수학 숙제를 3일 동안 나누어 하기로 했습니다. 어제는 7문제, 오늘은 5문제를 풀었고, 내일 6문제를 더 풀어야 합니다. 이번 주에 용수가 해야 하는 수학 숙제는 모두 몇 문제일까요?

식 : 7+5+6=18

18 문제

꽃밭의 꽃 위에 나비가 4마리, 벌이 8마리 앉아있습니다. 벌 5마리가 더 날아와 꽃 위에 앉으면 꽃밭에 나비와 벌은 모두 몇 마리일까요?

식 : 4+8+5=17

17 마리

1주 - 세 수의 덧셈 19

1주

P 20

✿ 다음을 읽고 알맞은 덧셈식을 쓰고, 답을 구하세요.

지성이는 8살인데 지성이의 형은 지성이보다 4살이 많고, 지성이의 누나는 지성이의 형보다 3살이 많습니다. 지성이의 누나는 몇 살일까요?

식 : 8+4+3=15   15 살

쟁반에 귤이 있습니다. 아빠가 7개를 먹고 엄마가 4개를 먹었더니 쟁반에 귤이 4개가 남았습니다. 쟁반에 있던 귤은 모두 몇 개일까요?

식 : 7+4+4=15   15 개

진구는 구슬을 9개 가지고 있는데, 구슬 3개를 선물로 받았습니다. 구슬 4개를 더 모으면 진구가 목표로 했던 구슬의 수를 모두 채우게 됩니다. 진구가 모으려고 하는 구슬은 몇 개일까요?

식 : 9+3+4=16   16 개

---

1 일 차   차례로 빼기

2주

P 22 ~ 23

✿ 그림을 보고 □ 안에 알맞은 수를 써넣으세요.

15 - 6 = 9
9 - 2 = 7

15 - 7 = 8
8 - 3 = 5

16 - 9 = 7
7 - 6 = 1

18 - 5 = 13
13 - 6 = 7

✿ 그림을 보고 □ 안에 알맞은 수를 써넣으세요.

17 - 9 = 8
8 - 4 = 4

13 - 5 = 8
8 - 6 = 2

17 - 8 = 9
9 - 5 = 4

19 - 5 = 14
14 - 7 = 7

P 24 ~ 25

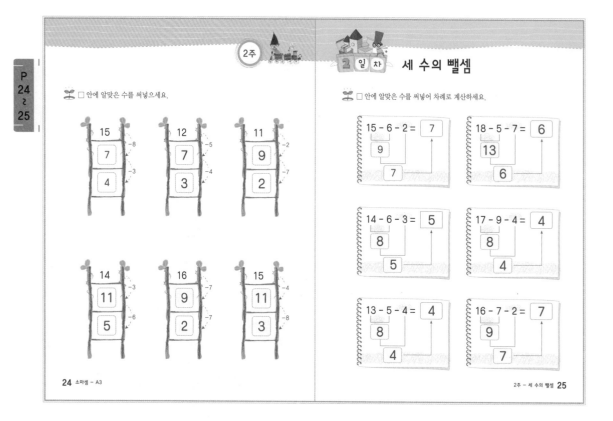

□ 안에 알맞은 수를 써넣으세요.

15
[7] -8
[4] -3

12
[7] -5
[3] -4

11
[9] -2
[2] -7

14
[11] -3
[5] -6

16
[9] -7
[2] -7

15
[11] -4
[3] -8

24 소마셈 - A3

---

2 일 차 세 수의 뺄셈

□ 안에 알맞은 수를 써넣어 차례로 계산하세요.

15 - 6 - 2 = [7]
9
7

18 - 5 - 7 = [6]
13
6

14 - 6 - 3 = [5]
8
5

17 - 9 - 4 = [4]
8
4

13 - 5 - 4 = [4]
8
4

16 - 7 - 2 = [7]
9
7

2주 - 세 수의 뺄셈 25

P 26 ~ 27

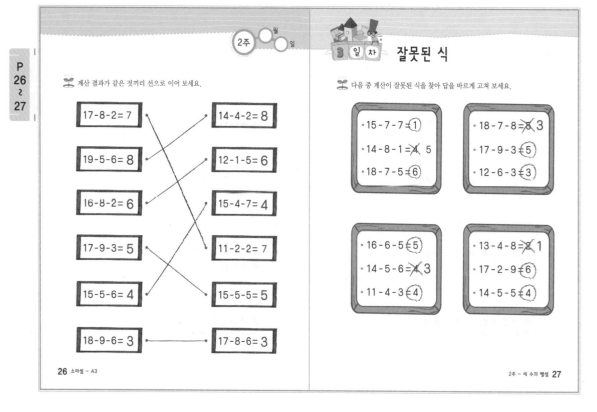

계산 결과가 같은 것끼리 선으로 이어 보세요.

17-8-2= 7

19-5-6= 8

16-8-2= 6

17-9-3= 5

15-5-6= 4

18-9-6= 3

14-4-2= 8

12-1-5= 6

15-4-7= 4

11-2-2= 7

15-5-5= 5

17-8-6= 3

26 소마셈 - A3

---

3 일 차 잘못된 식

다음 중 계산이 잘못된 식을 찾아 답을 바르게 고쳐 보세요.

· 15 - 7 - 7 = (1)
· 14 - 8 - 1 = ~~4~~ 5
· 18 - 7 - 5 = (6)

· 18 - 7 - 8 = ~~4~~ 3
· 17 - 9 - 3 = (5)
· 12 - 6 - 3 = (3)

· 16 - 6 - 5 = (5)
· 14 - 5 - 6 = ~~4~~ 3
· 11 - 4 - 3 = (4)

· 13 - 4 - 8 = ~~2~~ 1
· 17 - 2 - 9 = (6)
· 14 - 5 - 5 = (4)

2주 - 세 수의 뺄셈 27

---

102 소마셈 - A3

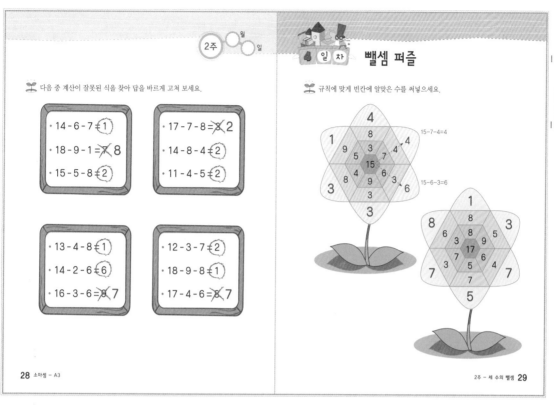

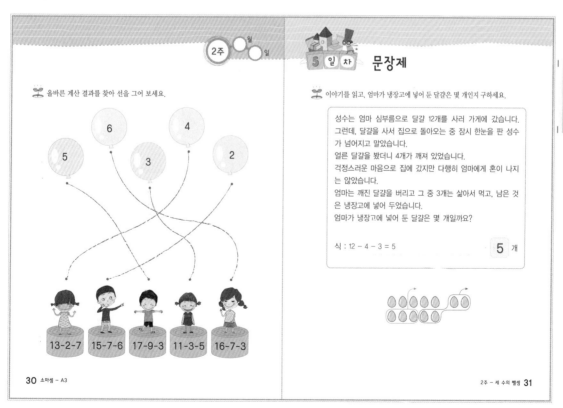

신나는 연산!

🌱 다음을 읽고 알맞은 뺄셈식을 쓰고, 답을 구하세요.

14명의 친구들이 도서관에 모여서 책을 보기로 했습니다. 그런데, 2명의 친구는 아파서, 5명의 친구는 일이 생겨서 오지 못했습니다. 도서관에 온 친구는 몇 명일까요?

식 : 14-2-5=7   **7** 명

수학시간에 주영이와 수미가 12문제를 함께 풀려고 합니다. 3문제는 주영이가 풀었고, 2문제는 수미가 풀었다면 아직 풀지 못한 남은 문제는 몇 문제일까요?

식 : 12-3-2=7   **7** 문제

🌱 다음을 읽고 알맞은 뺄셈식을 쓰고, 답을 구하세요.

붕어빵이 11개 있습니다. 나와 친구가 붕어빵을 3개씩 먹으면 남은 붕어빵은 몇 개일까요?

식 : 11-3-3=5   **5** 개

접시에 땅콩 18개가 있습니다. 형이 7개, 동생이 6개의 땅콩을 먹으면 남은 땅콩은 몇 개일까요?

식 : 18-7-6=5   **5** 개

버스에 사람이 16명 타고 있습니다. 첫 번째 정류장에서 5명이 내리고, 두 번째 정류장에서 3명이 내렸습니다. 더 이상 버스를 탄 사람이 없다면 현재 버스에 타고 있는 사람은 몇 명일까요?

식 : 16-5-3=8   **8** 명

2주

🌱 다음을 읽고 알맞은 뺄셈식을 쓰고, 답을 구하세요.

재아가 풍선을 13개 불었습니다. 그 중 3개를 동생에게 주고, 남은 풍선을 가지고 놀다가 4개의 풍선이 터졌습니다. 재아에게 남은 풍선은 몇 개일까요?

식 : 13-3-4=6   **6** 개

우성이는 오늘 책 16쪽을 읽기로 했습니다. 오전에 7쪽을 읽었고 낮에 6쪽을 더 읽었다면 오늘 몇 쪽을 더 읽어야 할까요?

식 : 16-7-6=3   **3** 쪽

종훈이는 100원짜리 동전 12개를 가지고 있습니다. 아이스크림을 사는 데 동전 5개를, 지우개를 사는 데 동전 3개를 사용했다면 종훈이에게 남은 100원짜리 동전은 몇 개일까요?

식 : 12-5-3=4   **4** 개

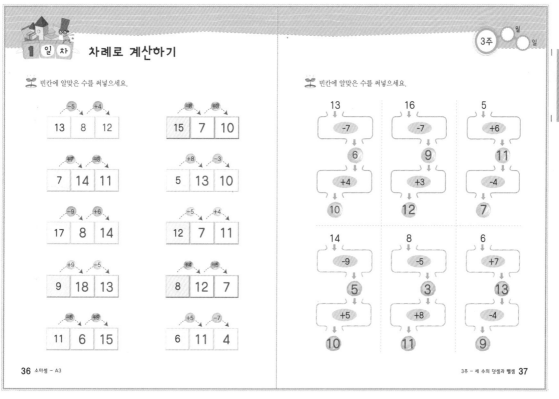

1일차 차례로 계산하기

빈칸에 알맞은 수를 써넣으세요.

빈칸에 알맞은 수를 써넣으세요.

2일차 세 수의 덧셈과 뺄셈

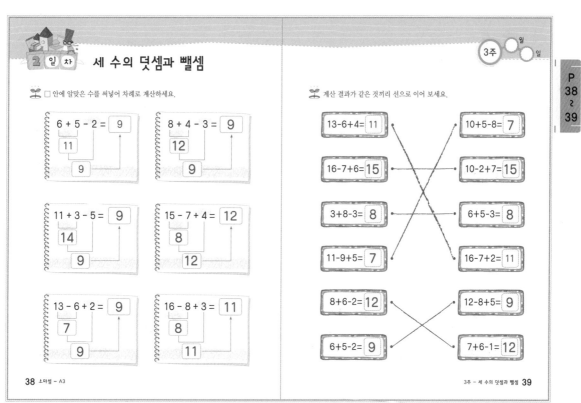

□ 안에 알맞은 수를 써넣어 차례로 계산하세요.

계산 결과가 같은 것끼리 선으로 이어 보세요.

정답 **105**

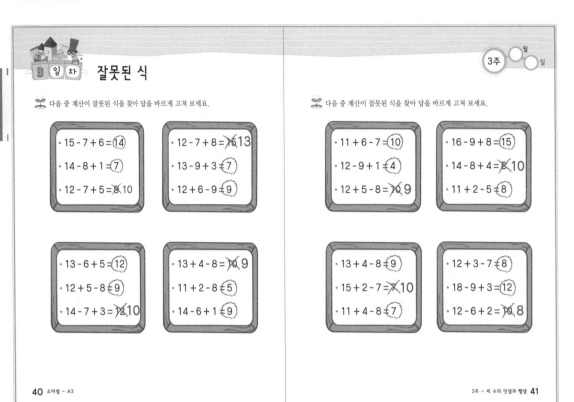

3 일차 잘못된 식

3주

다음 중 계산이 잘못된 식을 찾아 답을 바르게 고쳐 보세요.

- 15 − 7 + 6 = (14)
- 14 − 8 + 1 = (7)
- 12 − 7 + 5 = 8̷ 10

- 12 − 7 + 8 = 6̷13
- 13 − 9 + 3 = (7)
- 12 + 6 − 9 = (9)

- 13 − 6 + 5 = (12)
- 12 + 5 − 8 = (9)
- 14 − 7 + 3 = 12̷10

- 13 + 4 − 8 = 10̷9
- 11 + 2 − 8 = (5)
- 14 − 6 + 1 = (9)

다음 중 계산이 잘못된 식을 찾아 답을 바르게 고쳐 보세요.

- 11 + 6 − 7 = (10)
- 12 − 9 + 1 = 4̷
- 12 + 5 − 8 = 10̷9

- 16 − 9 + 8 = (15)
- 14 − 8 + 4 = 8̷10
- 11 + 2 − 5 = 8̷

- 13 + 4 − 8 = 9̷
- 15 + 2 − 7 = 7̷10
- 11 + 4 − 8 = 7̷

- 12 + 3 − 7 = 8̷
- 18 − 9 + 3 = (12)
- 12 − 6 + 2 = 10̷8

40 소마셈 − A3

3주 − 세 수의 덧셈과 뺄셈 41

4 일차 덧셈, 뺄셈 퍼즐

3주

규칙에 맞게 □ 안에 알맞은 수를 써넣으세요.

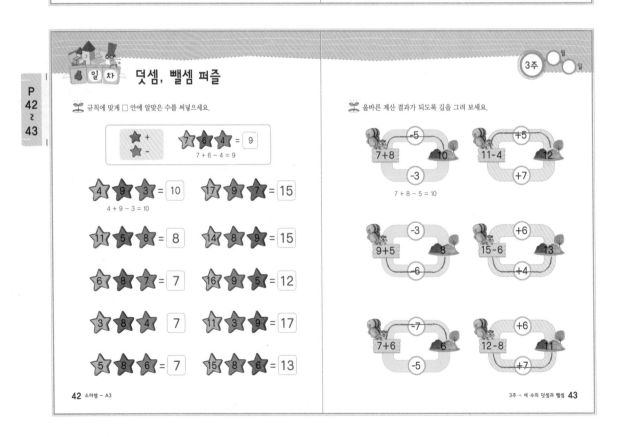

올바른 계산 결과가 되도록 길을 그려 보세요.

42 소마셈 − A3

3주 − 세 수의 덧셈과 뺄셈 43

5 일 차 문장제

🌱 이야기를 읽고, 주홍이에게 남은 딱지는 몇 개인지 구하세요.

주홍이는 친구들과 딱지치기를 하였습니다. 딱지 8개를 가지고 딱지치기를 시작한 주홍이는 시작하자마자 5개의 딱지를 땄습니다.
"와! 주홍이 오늘 정말 좋겠다!"
친구들도 주홍이를 부러워했습니다. 그러나 얼마 지나지 않아 주홍이는 7개의 딱지를 잃었습니다.
딱지치기를 한 후 주홍이에게 남은 딱지는 몇 개일까요?

식 : 8 + 5 - 7 = 6   **6** 개

44 소마셈 - A3

🌱 다음을 읽고 알맞은 식을 쓰고, 답을 구하세요.

엄마가 접시에 12개의 쿠키를 담아 오셨습니다. 모두 8개의 쿠키를 먹었는데 중간에 형이 5개의 쿠키를 더 가져왔습니다. 지금 접시 위에 놓인 쿠키는 모두 몇 개일까요?

식 : 12-8+5=9   **9** 개

광호에게 5자루의 볼펜과 9자루의 연필이 있습니다. 그 중 4자루의 연필을 동생에게 주었습니다. 광호에게 남은 볼펜과 연필은 모두 몇 자루일까요?

식 : 5+9-4=10   **10** 자루

3주 - 세 수의 덧셈과 뺄셈 **45**

🌱 다음을 읽고 알맞은 식을 쓰고, 답을 구하세요.

마당에 고양이와 강아지가 모두 9마리 있습니다. 마당 밖에서 놀던 고양이 5마리가 마당으로 더 들어오고, 강아지 7마리는 마당 밖으로 나갔습니다. 마당에 남아있는 고양이와 강아지는 모두 몇 마리일까요?

식 : 9+5-7=7   **7** 마리

승객 7명을 태운 버스가 정류장에 섰습니다. 정류장에서 8명의 승객이 더 타고 5명이 내렸습니다. 버스가 출발할 때 버스에 타고 있는 승객은 몇 명일까요?

식 : 7+8-5=10   **10** 명

승우는 9살입니다. 승우의 형은 승우보다 7살이 많고, 누나는 형보다 5살이 어립니다. 승우의 누나는 몇 살일까요?

식 : 9+7-5=11   **11** 살

46 소마셈 - A3

🌱 다음을 읽고 알맞은 식을 쓰고, 답을 구하세요.

민지는 7개의 유리구슬을 가지고 있습니다. 그 중 4개를 지현이에게 선물로 주고 쇠구슬 8개를 더 샀습니다. 민지가 가지고 있는 구슬은 모두 몇 개일까요?

식 : 7-4+8=11   **11** 개

빨간색 풍선이 8개, 파란색 풍선이 6개 있었는데 바람이 불어 그 중에서 5개의 풍선이 날아가 버렸습니다. 남은 풍선은 모두 몇 개일까요?

식 : 8+6-5=9   **9** 개

꽃병에 6송이의 꽃이 꽂혀 있었는데 3송이의 꽃이 시들어서 버리고, 8송이의 꽃을 새로 꽂아 놓습니다. 꽃병에는 모두 몇 송이의 꽃이 꽂혀 있을까요?

식 : 6-3+8=11   **11** 송이

3주 - 세 수의 덧셈과 뺄셈 **47**

정답 **107**

1 일차 순서 바꾸어 더하기

P 50 ~ 51

🌱 더해서 10이 되는 두 수를 먼저 계산하여 두 식을 비교해 보세요.

⑧ + 4 + ② = 14

(8 + 2) + 4 = 14

5 + ④ + ⑥ = 15

(4 + 6) + 5 = 15

⑨ + 7 + ① = 17

(9 + 1) + 7 = 17

8 + ⑦ + ③ = 18

(7 + 3) + 8 = 18

🌱 더해서 10이 되는 두 수를 먼저 계산하여 세 수의 덧셈을 해 보세요.

⑥ + 5 + ④ = 15
   10

7 + 7 + 3 = 17

6 + 8 + 2 = 16

5 + 8 + 5 = 18

8 + 7 + 3 = 18

4 + 6 + 5 = 15

7 + 2 + 8 = 17

3 + 6 + 4 = 13

8 + 1 + 9 = 18

8 + 5 + 2 = 15

3 + 4 + 6 = 13

9 + 3 + 7 = 19

2 일차 순서 바꾸어 빼기

P 52 ~ 53

🌱 빼서 10이 되는 뺄셈을 먼저 계산하여 두 식을 비교해 보세요.

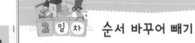

⑫ - 5 - ② = 5

(12 - 2) - 5 = 5

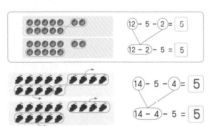

⑭ - 5 - ④ = 5

(14 - 4) - 5 = 5

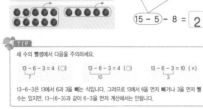

⑮ - 8 - ⑤ = 2

(15 - 5) - 8 = 2

> **TIP**
>
> 세 수의 뺄셈에서 다음을 주의하세요.
>
> 13 - 6 - 3 = 4 (○)   13 - 6 - 3 = 4 (○)   13 - 6 - 3 = 10 (×)
>   7   10   3
>
> 13-6-3은 13에서 6과 3을 빼는 식입니다. 그러므로 13에서 6을 먼저 빼거나 3을 먼저 뺄 수는 있지만, 13-(6-3)과 같이 6-3을 먼저 계산해서는 안됩니다.

🌱 빼서 10이 되는 뺄셈을 먼저 계산하여 세 수의 뺄셈을 해 보세요.

⑬ - 7 - ③ = 3
   10

12 - 6 - 2 = 4

14 - 5 - 4 = 5

17 - 8 - 7 = 2

13 - 8 - 3 = 2

15 - 6 - 5 = 4

17 - 2 - 7 = 8

14 - 6 - 4 = 4

15 - 8 - 5 = 2

11 - 7 - 1 = 3

13 - 6 - 3 = 4

16 - 9 - 6 = 1

순서 바꾸어 계산하기

더하거나 빼서 10이나 0이 되는 두 수를 먼저 계산하여 세 수의 덧셈과 뺄셈을 해 보세요.

$14 + 3 - 4$
$10 + 3 = 13$

$8 + 5 - 5$
$8 + 0 = 8$

$16 + 5 - 6$
$10 + 5 = 15$

$7 + 4 + 6$
$7 + 10 = 17$

$11 - 7 - 1$
$10 - 7 = 3$

$9 + 3 - 3$
$9 + 0 = 9$

더하거나 빼서 10이나 0이 되는 두 수를 먼저 계산하여 세 수의 덧셈과 뺄셈을 해 보세요.

$12 + 7 - 2 = 17$ (10)

$7 + 4 - 4 = 7$ (0)

$9 + 2 - 2 = 9$

$5 + 8 - 5 = 8$

$13 + 7 - 3 = 17$

$14 + 6 - 4 = 16$

$7 - 2 + 3 = 8$

$8 + 5 + 5 = 18$

$11 + 8 - 1 = 18$

$8 + 2 - 2 = 8$

$3 - 1 + 7 = 9$

$9 - 3 + 1 = 7$

54 소마셈 – A3

P 54 ~ 55

덧셈, 뺄셈 퍼즐

다음 가로 세로 퍼즐의 빈칸에 알맞은 수를 써넣으세요.

8	−	3	+	2	=	7
+				ı		
2				7		
ı				+		
5		8	−	2	+	4	=	10
‖		+		‖		ı
5		9	−	2	−	4	=	3
		ı				+
		8				7
		‖				‖
		9	+	4	+	1	=	14

규칙에 맞게 □ 안에 알맞은 수를 써넣으세요.

$13 + 6 - 3 = 16$

$4 ★ 9 ★ 4 = 9$
$4 + 9 - 4 = 9$

$17 ★ 2 ★ 7 = 12$

$11 ★ 5 ★ 5 = 11$

$4 ★ 7 ★ 4 = 7$

$7 ★ 8 ★ 7 = 8$

$16 ★ 3 ★ 6 = 13$

$15 ★ 5 ★ 6 = 16$

$7 ★ 4 ★ 3 = 6$

$11 ★ 1 ★ 9 = 19$

$5 ★ 5 ★ 8 = 8$

56 소마셈 – A3

P 56 ~ 57

5일차 문장제

🌱 이야기를 읽고, 세 번째 정류장에 도착했을 때 버스에 타고 있는 승객은 몇 명인지 구하세요.

> 이른 아침 텅 빈 버스가 첫 번째 정류장을 향해 출발했습니다.
> 첫 번째 정류장에 도착하니 버스를 기다리던 12명의 사람들이 탔습니다.
> 두 번째 정류장에서는 5명이 타고 2명이 내렸습니다.
> 이 버스가 다음 세 번째 정류장에 도착했을 때, 더 이상 타고 내린 사람이 없었습니다.
> 버스에 타고 있는 승객은 몇 명일까요?
>
> 식 : $12+5-2=15$ **15** 명

🌱 다음을 읽고 알맞은 식을 쓰고, 답을 구하세요.

정우는 딸기맛 사탕 8개와 초콜릿맛 사탕 6개를 샀습니다. 사탕 6개를 먹으면 남은 사탕은 몇 개일까요?

식 : $8+6-6=8$ **8** 개

우리 안에 토끼 5마리, 병아리 8마리가 놀고 있습니다. 그 중 토끼 5마리가 우리 밖으로 나가면 우리 안에 남은 토끼와 병아리는 몇 마리일까요?

식 : $5+8-5=8$ **8** 마리

신나는 연산!

🌱 다음을 읽고 알맞은 식을 쓰고, 답을 구하세요.

세윤이는 연필 13자루와 지우개 4개를 가지고 있습니다. 그 중 연필 3자루를 잃어버렸다면, 세윤이에게 남은 연필과 지우개는 모두 몇 개일까요?

식 : $13+4-3=14$ **14** 개

승객 8명을 태운 버스가 정류장에 섰습니다. 정류장에서 5명의 승객이 내리고 2명이 탔습니다. 버스가 출발할 때 버스에 타고 있는 승객은 몇 명일까요?

식 : $8-5+2=5$ **5** 명

빨간 풍선이 12개, 파란 풍선이 5개가 있습니다. 그런데, 갑자기 바람이 세게 불어서 그 중 2개가 날아가 버렸습니다. 남은 풍선은 몇 개일까요?

식 : $12+5-2=15$ **15** 개

🌱 다음을 읽고 알맞은 식을 쓰고, 답을 구하세요.

우성이네 시골집에서는 고양이 4마리와 강아지 4마리를 키웁니다. 어느 날 고양이가 새끼를 6마리 낳았습니다. 고양이와 강아지는 모두 몇 마리가 되었을까요?

식 : $4+4+6=14$ **14** 마리

형과 동생이 바둑돌 떨어뜨리기 게임을 하고 있습니다. 각각 5개씩 가지고 시작했는데, 게임이 끝난 후 바둑알을 보니 7개가 바둑판에서 떨어져 있었습니다. 지금 바둑판 위에 남은 바둑돌은 몇 개일까요?

식 : $5+5-7=3$ **3** 개

방과 후 운동장에 1학년 7명, 2학년 5명이 공을 차고 있습니다. 4시가 되어 5명의 학생이 집으로 돌아갔다면, 운동장에 남아서 공을 차고 있는 학생은 몇 명일까요?

식 : $7+5-5=7$ **7** 명

1주차 세 수의 덧셈

□ 안에 알맞은 수를 써넣으세요.

5 + 8 = 13	8 + 4 = 12
7 + 4 = 11	6 + 5 = 11
6 + 7 = 13	7 + 7 = 14
9 + 2 = 11	9 + 4 = 13
8 + 3 = 11	8 + 8 = 16
6 + 6 = 12	6 + 8 = 14
5 + 9 = 14	5 + 5 = 10

□ 안에 알맞은 수를 써넣으세요.

3 + 9 = 12	4 + 4 = 8
6 + 5 = 11	5 + 6 = 11
8 + 3 = 11	7 + 9 = 16
2 + 8 = 10	6 + 7 = 13
7 + 4 = 11	9 + 9 = 18
9 + 5 = 14	4 + 9 = 13
8 + 7 = 15	7 + 7 = 14

1주차

□ 안에 알맞은 수를 써넣으세요.

4 + 9 = 13	8 + 3 = 11
6 + 8 = 14	6 + 4 = 10
7 + 6 = 13	7 + 5 = 12
3 + 7 = 10	9 + 3 = 12
2 + 9 = 11	6 + 6 = 12
5 + 6 = 11	5 + 8 = 13
6 + 7 = 13	7 + 8 = 15

□ 안에 알맞은 수를 써넣으세요.

6 + 4 = 10	8 + 3 = 11
7 + 4 = 11	9 + 9 = 18
8 + 5 = 13	4 + 8 = 12
6 + 6 = 12	5 + 5 = 10
9 + 2 = 11	7 + 7 = 14
5 + 5 = 10	8 + 8 = 16
6 + 8 = 14	3 + 9 = 12

1주차

P 68 ~ 69

□ 안에 알맞은 수를 써넣으세요.

$5 + 8 + 1 = \boxed{14}$ $4 + 6 + 8 = \boxed{18}$

$7 + 2 + 4 = \boxed{13}$ $3 + 9 + 4 = \boxed{16}$

$6 + 5 + 1 = \boxed{12}$ $6 + 5 + 4 = \boxed{15}$

$2 + 9 + 4 = \boxed{15}$ $2 + 7 + 6 = \boxed{15}$

$6 + 3 + 3 = \boxed{12}$ $5 + 6 + 2 = \boxed{13}$

$5 + 7 + 2 = \boxed{14}$ $9 + 2 + 3 = \boxed{14}$

$6 + 6 + 2 = \boxed{14}$ $6 + 3 + 2 = \boxed{11}$

□ 안에 알맞은 수를 써넣으세요.

$4 + 9 + 3 = \boxed{16}$ $4 + 7 + 6 = \boxed{17}$

$3 + 9 + 3 = \boxed{15}$ $5 + 6 + 3 = \boxed{14}$

$7 + 4 + 2 = \boxed{13}$ $4 + 5 + 8 = \boxed{17}$

$4 + 9 + 6 = \boxed{19}$ $2 + 9 + 5 = \boxed{16}$

$5 + 4 + 4 = \boxed{13}$ $6 + 7 + 1 = \boxed{14}$

$6 + 8 + 3 = \boxed{17}$ $8 + 3 + 4 = \boxed{15}$

$7 + 3 + 8 = \boxed{18}$ $5 + 8 + 2 = \boxed{15}$

1주차

P 70 ~ 71

□ 안에 알맞은 수를 써넣으세요.

$4 + 8 + 2 = \boxed{14}$ $4 + 3 + 6 = \boxed{13}$

$3 + 5 + 4 = \boxed{12}$ $5 + 9 + 2 = \boxed{16}$

$6 + 2 + 4 = \boxed{12}$ $7 + 5 + 3 = \boxed{15}$

$3 + 5 + 9 = \boxed{17}$ $4 + 2 + 6 = \boxed{12}$

$4 + 6 + 6 = \boxed{16}$ $7 + 9 + 2 = \boxed{18}$

$7 + 7 + 3 = \boxed{17}$ $8 + 3 + 5 = \boxed{16}$

$8 + 6 + 1 = \boxed{15}$ $6 + 4 + 5 = \boxed{15}$

□ 안에 알맞은 수를 써넣으세요.

$3 + 4 + 8 = \boxed{15}$ $5 + 2 + 9 = \boxed{16}$

$6 + 5 + 2 = \boxed{13}$ $2 + 8 + 8 = \boxed{18}$

$5 + 4 + 5 = \boxed{14}$ $4 + 5 + 6 = \boxed{15}$

$4 + 5 + 6 = \boxed{15}$ $6 + 7 + 3 = \boxed{16}$

$6 + 4 + 3 = \boxed{13}$ $4 + 7 + 3 = \boxed{14}$

$6 + 3 + 4 = \boxed{13}$ $8 + 2 + 5 = \boxed{15}$

$5 + 7 + 7 = \boxed{19}$ $7 + 8 + 3 = \boxed{18}$

2주차 `drill`

세 수의 뺄셈

□ 안에 알맞은 수를 써넣으세요.

10 - 3 = 7	13 - 2 = 11
12 - 4 = 8	14 - 7 = 7
13 - 6 = 7	16 - 8 = 8
14 - 9 = 5	15 - 6 = 9
11 - 2 = 9	13 - 9 = 4
15 - 8 = 7	14 - 6 = 8
16 - 3 = 13	13 - 4 = 9

□ 안에 알맞은 수를 써넣으세요.

10 - 9 = 1	13 - 4 = 9
11 - 4 = 7	16 - 8 = 8
12 - 3 = 9	12 - 7 = 5
13 - 5 = 8	11 - 3 = 8
11 - 7 = 4	10 - 7 = 3
15 - 9 = 6	14 - 9 = 5
18 - 9 = 9	15 - 6 = 9

2주차 `drill`

□ 안에 알맞은 수를 써넣으세요.

12 - 6 = 6	14 - 7 = 7
13 - 4 = 9	12 - 8 = 4
11 - 7 = 4	15 - 9 = 6
10 - 1 = 9	14 - 4 = 10
11 - 3 = 8	13 - 7 = 6
12 - 9 = 3	12 - 7 = 5
13 - 8 = 5	11 - 2 = 9

□ 안에 알맞은 수를 써넣으세요.

14 - 3 = 11	13 - 4 = 9
12 - 5 = 7	12 - 8 = 4
13 - 7 = 6	13 - 5 = 8
10 - 8 = 2	11 - 6 = 5
11 - 9 = 2	12 - 3 = 9
16 - 6 = 10	10 - 4 = 6
15 - 8 = 7	18 - 9 = 9

2주차

P 76 ~ 77

□ 안에 알맞은 수를 써넣으세요.

15 - 8 - 1 = 6	14 - 6 - 7 = 1
17 - 9 - 2 = 6	13 - 9 - 2 = 2
16 - 7 - 4 = 5	16 - 8 - 4 = 4
19 - 8 - 5 = 6	12 - 7 - 3 = 2
15 - 6 - 4 = 5	15 - 6 - 2 = 7
15 - 7 - 2 = 6	19 - 3 - 8 = 8
16 - 8 - 2 = 6	16 - 7 - 5 = 4

□ 안에 알맞은 수를 써넣으세요.

14 - 9 - 2 = 3	14 - 7 - 3 = 4
13 - 6 - 3 = 4	15 - 6 - 3 = 6
14 - 6 - 6 = 2	18 - 9 - 6 = 3
14 - 6 - 7 = 1	11 - 6 - 3 = 2
19 - 6 - 8 = 5	16 - 8 - 7 = 1
12 - 7 - 5 = 0	13 - 7 - 3 = 3
16 - 7 - 4 = 5	19 - 7 - 7 = 5

76 소마셈 - A3

Drill - 보충학습 77

2주차

P 78 ~ 79

□ 안에 알맞은 수를 써넣으세요.

14 - 5 - 3 = 6	12 - 7 - 4 = 1
15 - 5 - 4 = 6	14 - 5 - 4 = 5
14 - 6 - 4 = 4	15 - 7 - 4 = 4
17 - 9 - 5 = 3	16 - 8 - 2 = 6
16 - 4 - 7 = 5	16 - 5 - 5 = 6
19 - 7 - 4 = 8	17 - 2 - 6 = 9
18 - 9 - 2 = 7	18 - 9 - 2 = 7

□ 안에 알맞은 수를 써넣으세요.

16 - 7 - 4 = 5	13 - 5 - 6 = 2
15 - 6 - 4 = 5	14 - 6 - 4 = 4
12 - 7 - 3 = 2	15 - 6 - 7 = 2
14 - 8 - 5 = 1	16 - 8 - 4 = 4
11 - 4 - 2 = 5	13 - 5 - 5 = 3
16 - 2 - 7 = 7	14 - 3 - 6 = 5
17 - 5 - 7 = 5	18 - 9 - 3 = 6

78 소마셈 - A3

Drill - 보충학습 79

3주차 세 수의 덧셈과 뺄셈

□ 안에 알맞은 수를 써넣으세요.

6 + 4 - 5 = 5	9 + 8 - 5 = 12
7 + 4 - 6 = 5	5 + 6 - 1 = 10
2 + 9 - 3 = 8	9 + 3 - 2 = 10
8 + 4 - 5 = 7	7 + 7 - 6 = 8
7 + 6 - 3 = 10	8 + 7 - 3 = 12
8 + 7 - 9 = 6	7 + 9 - 8 = 8
9 + 4 - 6 = 7	6 + 7 - 1 = 12

□ 안에 알맞은 수를 써넣으세요.

12 - 3 + 4 = 13	14 - 7 + 4 = 11
11 - 6 + 3 = 8	12 - 5 + 8 = 15
13 - 5 + 8 = 16	10 - 4 + 7 = 13
12 - 6 + 3 = 9	11 - 3 + 8 = 16
14 - 8 + 5 = 11	12 - 4 + 9 = 17
13 - 4 + 2 = 11	15 - 8 + 7 = 14
10 - 3 + 5 = 12	16 - 9 + 1 = 8

80 소마셈 - A3

Drill - 보충학습 81

3주차

□ 안에 알맞은 수를 써넣으세요.

6 + 5 - 3 = 8	7 + 7 - 5 = 9
7 + 3 - 4 = 6	8 + 5 - 4 = 9
6 + 6 - 5 = 7	6 + 9 - 8 = 7
7 + 8 - 6 = 9	7 + 7 - 6 = 8
8 + 6 - 2 = 12	3 + 8 - 2 = 9
6 + 3 - 4 = 5	7 + 4 - 5 = 6
9 + 5 - 6 = 8	9 + 4 - 7 = 6

□ 안에 알맞은 수를 써넣으세요.

12 - 6 + 3 = 9	14 - 4 + 3 = 13
11 - 3 + 8 = 16	11 - 2 + 5 = 14
10 - 6 + 4 = 8	17 - 8 + 2 = 11
13 - 7 + 2 = 8	13 - 6 + 4 = 11
14 - 5 + 6 = 15	11 - 2 + 4 = 13
10 - 3 + 4 = 11	13 - 5 + 3 = 11
16 - 8 + 3 = 11	17 - 9 + 4 = 12

82 소마셈 - A3

Drill - 보충학습 83

P 84 ~ 85

3주차

□ 안에 알맞은 수를 써넣으세요.

7 + 7 - 6 = 8　　　9 + 8 - 6 = 11

8 + 2 - 5 = 5　　　5 + 9 - 4 = 10

7 + 6 - 5 = 8　　　9 + 5 - 6 = 8

9 + 6 - 2 = 13　　8 + 8 - 5 = 11

8 + 6 - 4 = 10　　6 + 6 - 5 = 7

8 + 7 - 8 = 7　　　8 + 7 - 2 = 13

9 + 5 - 6 = 8　　　6 + 7 - 3 = 10

□ 안에 알맞은 수를 써넣으세요.

11 - 4 + 3 = 10　　15 - 9 + 3 = 9

12 - 5 + 2 = 9　　　11 - 7 + 3 = 7

12 - 6 + 4 = 10　　12 - 3 + 6 = 15

11 - 4 + 9 = 16　　16 - 7 + 2 = 11

13 - 6 + 7 = 14　　15 - 8 + 3 = 10

12 - 4 + 6 = 14　　14 - 6 + 5 = 13

14 - 7 + 6 = 13　　13 - 8 + 4 = 9

84 소마셈 – A3

Drill – 보충학습 85

P 86 ~ 87

3주차

□ 안에 알맞은 수를 써넣으세요.

15 - 6 + 2 = 11　　6 + 9 - 4 = 11

11 - 2 + 7 = 16　　5 + 9 - 6 = 8

13 - 5 + 4 = 12　　9 - 3 + 6 = 12

14 - 8 + 2 = 8　　　7 + 7 - 5 = 9

15 - 6 + 4 = 13　　6 - 4 + 6 = 8

8 + 7 - 9 = 6　　　9 + 5 - 8 = 6

16 - 8 + 3 = 11　　4 + 7 - 2 = 9

□ 안에 알맞은 수를 써넣으세요.

11 - 9 + 2 = 4　　　4 + 9 - 5 = 8

9 + 4 - 7 = 6　　　8 + 6 - 3 = 11

12 - 5 + 6 = 13　　11 - 3 + 5 = 13

11 - 4 + 7 = 14　　8 + 7 - 6 = 9

15 - 6 + 4 = 13　　12 - 8 + 4 = 8

8 - 4 + 9 = 13　　　7 + 5 - 6 = 6

14 - 7 + 8 = 15　　11 - 7 + 5 = 9

86 소마셈 – A3

Drill – 보충학습 87

순서 바꾸어 계산하기

P 88 ~ 89

□ 안에 알맞은 수를 써넣으세요.

$7 + 5 + 3 = \boxed{15}$ $5 + 2 + 5 = \boxed{12}$

$9 + 4 + 1 = \boxed{14}$ $3 + 2 + 7 = \boxed{12}$

$8 + 2 + 6 = \boxed{16}$ $9 + 5 + 1 = \boxed{15}$

$4 + 3 + 7 = \boxed{14}$ $1 + 8 + 2 = \boxed{11}$

$5 + 3 + 5 = \boxed{13}$ $4 + 5 + 5 = \boxed{14}$

$6 + 2 + 8 = \boxed{16}$ $2 + 7 + 8 = \boxed{17}$

$4 + 4 + 6 = \boxed{14}$ $4 + 3 + 6 = \boxed{13}$

□ 안에 알맞은 수를 써넣으세요.

$15 - 5 - 3 = \boxed{7}$ $12 - 2 - 4 = \boxed{6}$

$14 - 9 - 4 = \boxed{1}$ $13 - 8 - 3 = \boxed{2}$

$12 - 2 - 5 = \boxed{5}$ $11 - 5 - 1 = \boxed{5}$

$13 - 7 - 3 = \boxed{3}$ $12 - 9 - 2 = \boxed{1}$

$14 - 8 - 4 = \boxed{2}$ $13 - 3 - 7 = \boxed{3}$

$15 - 5 - 9 = \boxed{1}$ $16 - 6 - 2 = \boxed{8}$

$16 - 7 - 6 = \boxed{3}$ $15 - 8 - 5 = \boxed{2}$

P 90 ~ 91

□ 안에 알맞은 수를 써넣으세요.

$6 + 4 + 5 = \boxed{15}$ $5 + 6 + 5 = \boxed{16}$

$8 + 2 + 6 = \boxed{16}$ $8 + 7 + 3 = \boxed{18}$

$4 + 8 + 2 = \boxed{14}$ $4 + 9 + 6 = \boxed{19}$

$4 + 7 + 3 = \boxed{14}$ $1 + 9 + 6 = \boxed{16}$

$5 + 5 + 7 = \boxed{17}$ $6 + 6 + 4 = \boxed{16}$

$5 + 2 + 8 = \boxed{15}$ $9 + 1 + 7 = \boxed{17}$

$3 + 4 + 6 = \boxed{13}$ $8 + 7 + 2 = \boxed{17}$

□ 안에 알맞은 수를 써넣으세요.

$14 - 4 - 3 = \boxed{7}$ $12 - 4 - 2 = \boxed{6}$

$15 - 6 - 5 = \boxed{4}$ $13 - 6 - 3 = \boxed{4}$

$12 - 4 - 2 = \boxed{6}$ $17 - 7 - 8 = \boxed{2}$

$11 - 1 - 6 = \boxed{4}$ $14 - 6 - 4 = \boxed{4}$

$13 - 9 - 3 = \boxed{1}$ $12 - 2 - 3 = \boxed{7}$

$18 - 7 - 8 = \boxed{3}$ $11 - 1 - 6 = \boxed{4}$

$15 - 8 - 5 = \boxed{2}$ $17 - 9 - 7 = \boxed{1}$

4주차

P 92 ~ 93

□ 안에 알맞은 수를 써넣으세요.

3 + 7 - 7 = 3

14 + 8 - 4 = 18

5 + 8 - 8 = 5

16 + 4 - 6 = 14

9 + 4 - 9 = 4

5 + 9 - 5 = 9

7 + 6 - 6 = 7

12 + 4 - 2 = 14

5 + 7 - 7 = 5

4 + 8 - 4 = 8

13 + 9 - 3 = 19

10 + 4 - 4 = 10

7 + 8 - 7 = 8

6 + 9 - 9 = 6

□ 안에 알맞은 수를 써넣으세요.

15 + 3 - 5 = 13

8 + 4 - 4 = 8

12 + 3 - 2 = 13

13 + 7 - 3 = 17

7 + 5 - 7 = 5

9 + 1 - 2 = 8

8 - 5 + 2 = 5

7 + 3 - 5 = 5

4 + 6 - 4 = 6

9 + 5 - 5 = 9

9 - 8 + 1 = 2

7 - 5 + 3 = 5

9 + 4 - 4 = 9

15 + 8 - 5 = 18

92 소마셈 – A3

Drill – 보충학습 93

4주차

P 94 ~ 95

□ 안에 알맞은 수를 써넣으세요.

6 + 7 - 7 = 6

8 + 2 - 4 = 6

6 + 8 - 6 = 8

7 - 6 + 3 = 4

4 + 8 - 4 = 8

8 + 6 - 8 = 6

7 + 5 - 7 = 5

5 - 3 + 5 = 7

8 + 9 - 9 = 8

16 + 3 - 6 = 13

1 + 9 - 3 = 7

14 + 5 - 4 = 15

11 + 2 - 1 = 12

12 + 4 - 2 = 14

□ 안에 알맞은 수를 써넣으세요.

16 + 4 - 6 = 14

9 + 6 - 6 = 9

7 - 4 + 3 = 6

6 + 4 - 3 = 7

11 + 4 - 1 = 14

6 + 8 - 6 = 8

9 - 4 + 1 = 6

9 - 7 + 1 = 3

8 - 6 + 2 = 4

8 + 4 - 8 = 4

12 + 5 - 2 = 15

6 - 5 + 4 = 5

9 + 8 - 9 = 8

13 + 4 - 3 = 14

94 소마셈 – A3

Drill – 보충학습 95

Note

Note